Danse
avec l'ombre

Doha Khan

Danse
avec l'ombre

Récit initiatique

MARCEL BROQUET
La nouvelle édition

Catalogage avant publication de Bibliothèque et Archives nationales du Québec et Bibliothèque et Archives Canada

Khan, Doha, 1958-

Danse avec l'ombre : s'éveiller à ce qui est déjà là !

(Collection Essence)

ISBN 978-2-923715-59-9

I. Titre. II. Collection: Collection Essence.

PS8621.H345D36 2011   C843'.6   C2011-940481-8

PS9621.H345D36 2011

Pour l'aide à la réalisation de son programme éditorial, l'éditeur remercie la Société de Développement des Entreprises Culturelles (SODEC), le Programme de crédit d'impôt pour l'édition de livres - gestion SODEC ainsi que le Conseil des Arts du Canada.

Marcel Broquet Éditeur
55 A, rue de l'Église, Saint-Sauveur (Québec) Canada J0R 1R0
Téléphone : 450 744-1236
marcel@marcelbroquet.com • www.marcelbroquet.com

Révision : Andrée Laprise, Elsa Cornet
Photographie de la couverture : Doha Khan
Mise en page : Roger Belle-Isle

Distribution :
PROLOGUE

1650, Boulevard Lionel-Bertrand
Boisbriand (Québec) Canada J7H 1N7
Téléphone : 450 434-0306 • Sans frais : 1 800 363-2864
Service à la clientèle : sac@prologue.ca

Distribution pour la France :
DNM Distribution du Nouveau Monde
30, rue Gay-Lussac, 75005, Paris
Tél. 01 42 54 50 24 • Fax : 01 43 54 39 15
Librairie du Québec
30, rue Gay-Lussac, 75005, Paris
Tél. 01 43 54 49 02
www.librairieduquebec.fr

Distribution pour le Benelux :
SDL La Caravelle S.A.
Rue du Pré aux Oies, 303
B-1130 Bruxelles
Tél. +32 (0) 2 240 93 00
info@sdlcaravelle.com
www.sdlcaravelle.com

Diffusion – Promotion :
r.pipar@phoenix3alliance.com

Dépôt légal : 2ᵉ trimestre 2011
Bibliothèque et Archives nationales du Québec
Bibliothèque et Archives nationales Canada
Bibliothèque nationale de France
© Marcel Broquet Éditeur, 2011

Dans la lueur du matin, mouillé par les larmes de la nuit

Shiva bénit le moment de la rencontre ultime

Celle où vivre se confond avec mourir !

Le cœur fatigué d'avoir trop combattu

D'avoir trop cherché l'amour par-delà les montagnes

D'avoir eu peur de mourir au plus profond de son être

Shakti, à travers toi, permets-moi de demander pardon

De dire à toutes les femmes mal aimées la désolation

La désolation de n'avoir pas cru et d'avoir fui

Sur la Voie Royale du Cœur, je décide de rester sans voix

De goûter à l'extase de l'amour

Et de mourir au plus profond du vide

Que tu m'offres dans des larmes d'argent

Doha Khan

Avant-propos

J'ai choisi le récit pour partager avec vous mon expérience initiatique sur le chemin du retour à l'essentiel. Georges, le personnage principal, rebondit de rencontre en rencontre et de lieu en lieu avec intensité. Il plonge au plus profond de sa faille pour appréhender son ombre, jouer dangereusement avec elle et finalement danser avec elle.

Le voyage se déroule pendant plusieurs années. J'ai pris le parti de vous présenter quelques tableaux du cheminement de Georges sous forme d'initiations et de rites de passage. En faisant le voyage avec lui, je vous invite à votre propre voyage intérieur avec simplicité.

Le récit est inspiré de situations vécues et de personnages existants. Bien que le voyage soit nourri de l'expérience personnelle, certaines situations ou scènes sont imaginaires. Par respect et protection de leur intimité, les noms des personnes évoquées ont été modifiés.

La transmission initiatique reçue est par essence non verbale et énergétique. Mettre des mots pour en témoigner m'a demandé vigilance et humilité. J'invite le lecteur à y entrer avec légèreté, à plonger avec son senti, en acceptant de ne pas tout savoir et surtout en lâchant prise.

Le regard qui a vu la mort effraie, le regard qui plonge dans le vide effraie, le regard de l'amour effraie, le regard qui éveille la passion effraie, mais ce regard attire parce qu'il est différent !

Chapitre 1

Au petit matin, Georges aborde les premiers contreforts de l'Himalaya. Cela fait plusieurs heures qu'il marche sous un déluge de pluie. Il choisit de marcher seul pour goûter à l'intensité de l'espace et, surtout, pour fuir les bavardages de ses compagnons. D'un pas cadencé et aérien, il prend graduellement de l'altitude. Il parcourt un chemin escarpé, sinueux et les roches sur lesquelles il se déplace sont glissantes. Au détour d'une courbe, il croise quelques pèlerins. À leur allure, ils semblent revenir de leurs ablutions matinales. Il les observe et ne souhaite pas entrer en contact avec eux autrement que par le regard. Leurs yeux étincellent de liberté et il ressent une telle plénitude en leur présence. Il traverse un pont surplombant un précipice, s'arrête quelques instants et regarde le torrent s'écouler sous ses pieds. Il se sent petit au milieu de ce paysage grandiose, hors dimension. Il poursuit son chemin en remontant la rive opposée. Il aime ce moment solitaire juste avec lui, à l'écoute de ses sens. Dans ce silence intérieur, Georges semble entendre tous les bruits de la nature qu'il traverse. Il se trouve chanceux d'être à cet endroit, à cet instant, loin de tous repères occidentaux, loin du trafic des villes et de ces gens qui courent en tout sens sans trop savoir pourquoi.

Les autres alpinistes et les sherpas marchent plus en arrière de lui avec le matériel. Georges prend le temps de progresser sur ce territoire peu accueillant à cause de la nature périlleuse du terrain. Le sol est délavé et dangereux. Les traversées vertigineuses à flanc de corniches demandent de la prudence. Régulièrement, il sent les cailloux se dérober sous ses pieds. En contrebas, le torrent gronde, rugit et se gorge des eaux des glaciers sur son parcours. Georges est attentif à chacun de ses pas. Il est absorbé par ses pensées, encore sous l'émotion de son départ du Canada, quelques jours auparavant. Ce départ fut si rapide ! À peine descendu d'avion et le voilà en train de déambuler à la frontière tibétaine, dans cette région népalaise appelée les Vallées Perdues. L'endroit rêvé pour venir se perdre, se dit-il.

Il est près de midi, Georges s'étonne d'être toujours seul sur le chemin, de ne pas avoir encore été rejoint par le groupe, mais il ne s'inquiète pas outre mesure. Il savoure ce calme, cette tranquillité et cette solitude bienfaisante qui se prolonge. Il pourrait s'arrêter, s'asseoir, attendre le reste de l'équipe. Il n'en est rien, il continue à progresser dans un silence pénitent. Il connaît le point de ralliement de fin de journée et dispose de quelques vivres en cas de besoin. Le paysage est puissant, il invite à l'humilité. Malgré les brumes et brouillards, Georges entrevoit de manière intermittente les sommets enneigés.

Pourquoi suis-je ici ? se demande-t-il. Georges a pris la décision deux ans auparavant de participer à cette expédition. Il n'en était pas à sa première aventure dans ces contrées éloignées. Il avait senti une nouvelle fois l'appel de la montagne à un moment de grande solitude et de grands chavirements dans sa vie. Depuis, bien des choses s'étaient passées qui auraient pu remettre en question sa présence. Néanmoins, il avait été au bout de son projet. Il est là, les deux pieds sur la terre et la tête dans les nuages, en route vers la frontière tibétaine. Finalement, la vie lui offre toujours l'occasion d'aller plus loin dans la compréhension de qui il est. Il sait, pour l'avoir vécu à d'autres reprises, qu'atteindre le sommet d'une montagne a très peu de sens. Le moment d'arrivée y est éphémère, passager, de courte durée. Le chemin qui y mène, quant à lui, est recherche et par essence sagesse. L'insensé voyage toute sa vie sans savoir qui il est, d'où il vient et où il va. Pour Georges, cette aventure signifie un voyage au plus profond de lui, un retour à la maison. Il n'y a pas d'autre endroit où aller ! C'est ce que les Indiens appellent Thurya, la quatrième dimension. Sur le chemin de soi, plus la lame est aiguisée, plus elle coupe. Dans ce voyage au Népal, le plus grand défi consiste alors à trouver le moyen d'arrêter ce qui lui reste encore de mental, cette partie qui l'empêche d'être totalement dans le senti. Bien que Georges ait perdu une partie de sa tête, il lui reste encore du chemin à parcourir pour cesser de penser et accueillir le présent. Faire fondre les dernières illusions, devenir juste le témoin de sa vie. L'inconnu n'est accessible qu'une fois le connu disparu. Accepter de ne plus savoir. Et cela est sans doute la chose la plus difficile à faire. Ce voyage offre un terrain de jeu à la hauteur du défi. En prenant de l'altitude, l'angle de vision change et l'essentiel de sa vie lui apparaît.

Les effets de l'ascension commencent à se faire sentir, l'air se raréfie et la progression devient plus difficile. Les roches se délogent sous ses pieds, tant la pluie est abondante et que les ruisseaux débordent. Georges n'est pas encore en haute montagne et le terrain est particulièrement dangereux, plus aérien, plus exposé. Soudain l'aventure prend une tournure inattendue. Son pied droit glisse sur une roche plate et son corps tout entier est propulsé dans le vide. La chute est aussi brutale qu'imprévisible. Il plonge tête première, tente de se retourner pour s'agripper à quelques racines. En vain, son corps prend de la vitesse et

Georges voit ses jambes pointer vers le ciel. La chute lui paraît longue et interminable. Sa vie est suspendue à un fil. À quel fil ? Là vers le bas, il entend le bruit du torrent se rapprocher de lui. Il devine que son corps s'arrêtera dans quelques instants, quelques centaines de pieds plus bas en s'écrasant dans le tourbillon d'eau et de roches. Il retient sa respiration et soudain un sentiment de légèreté l'envahit. Il n'a plus rien à quoi se retenir, juste se laisser aller dans un lâcher prise total.

Le choc est terrible, un bruit sourd arrête sa chute. Une terrasse de bambou naturelle, déposée semble-t-il par les dieux, l'accueille de manière providentielle. La tête en premier, le dos ensuite et les jambes enfin s'immobilisent. Le craquement est intense. Georges ne sait si le bruit qu'il vient d'entendre est celui de ses os brisés ou celui de cette végétation luxuriante. Peut-être l'un de ces bambous vient-il de lui perforer quelques organes ?

Ce moment suspendu dans le vide semble durer une éternité. Une foule d'images défilent dans sa tête. Georges sent des larmes couler le long de ses joues. Ce voyage dans l'immensité himalayenne prend tout son sens. Pourquoi a-t-il parcouru plus de dix mille kilomètres pour venir s'écraser, à peine arrivé, sur une terrasse entre ciel et terre ? La nature humaine ayant cette tendance à transformer toute expérience en question, Georges évite de tomber dans le piège. Il n'y a plus rien à apprendre ou à savoir, il y a juste à sentir. Personne n'a été témoin de sa chute, personne ne l'a vu tomber. Personne ne sait qu'il est là, allongé, couché sur le dos, sur cette terrasse. Il n'ose plus bouger, tant son corps lui fait mal en de nombreux endroits. Son sac a joué, par chance, le rôle de coussin amortisseur.

Dans cet espace hors du temps, il se souvient que le matin même, il y a déposé le bâton de sagesse que son Maître, Anaïs, lui a remis lors d'un rituel, quelques années auparavant. Habillé de poils de loup et de plumes, il a lui aussi fait le plongeon dans le vide. Ce bâton magique a-t-il protégé Georges ? Il aime le penser. Et cette pensée l'amène à ce moment même aux mots d'Anaïs prononcés juste avant son départ :

– Georges, tu es une personne d'altitude, écoute à partir du vide. Hé oui, le vide ! Le vide contient le mystère qui laisse passer la vie. Mais accepter le vide et le ressentir pour plonger dans la nuit ne sont pas choses faciles !

Alors, les larmes qui ont commencé à couler s'intensifient. Il sent tout ce vide l'envahir. Il reste encore de longs moments immobile. Il décide, néanmoins, de bouger juste pour sentir si son corps répond encore. Il ressent de grandes douleurs dans le haut du dos et aux fesses. De l'autre côté du torrent, des Népalais parcourent le chemin opposé. Ils sont trop éloignés pour voir Georges et poursuivent leur chemin vers la vallée. Cette chute dans le vide plonge Georges dans une chute beaucoup plus intense. Celle qui l'a amené à immigrer au Canada. Perdu dans cette immensité himalayenne, il sent combien la vie a été généreuse avec lui. Une fois de plus, il goûte à cette sensation. Ces dernières années, la mort a été très souvent présente sur son chemin. Il fait partie de ces personnes que la vie rattrape toujours avec un sourire généreux et bienveillant. Georges est un être total, intense. Et une fois de plus, cette intensité l'a conduit sur le terrain du regard de soi.

« Georges, le jour où tu reconnaîtras la grandeur du féminin en toi, tu pourras recoudre ton cœur déchiré avec l'aiguille de l'amour. Et alors, tu n'auras plus peur du cœur des femmes », lui avait dit Anaïs avant ce voyage. Et si sa présence à cet endroit n'était qu'une étape de sa quête ? Soudain s'éveiller et se rendre compte de ce qui est déjà là. L'Art d'aimer, c'est pour cela que la vie nous a mis ensemble, avait ajouté le Maître à cette époque. Georges n'imaginait pas tout ce que cela signifiait !

Il réussit à se redresser lentement. Ses pieds reprennent contact avec le sol suspendu. Il ne doit pas trop bouger sur cette terrasse instable s'il ne veut pas replonger. Il lui semble impossible de sortir seul de cette niche. Il appelle à l'aide. Sa voix résonne à travers ces montagnes encaissées. D'autres pèlerins s'immobilisent sur le versant opposé essayant d'identifier la source de ces hurlements. Ils le localisent enfin et lancent à leur tour des cris de reconnaissance. Malheureusement pour Georges, il n'existe aucun passage d'une rive à l'autre. Bien que le temps passe, les Népalais restent sur place pour signaler la présence de Georges à des voyageurs éventuels.

Finalement, le groupe d'alpinistes et quelques sherpas s'immobilisent à l'aplomb de Georges, sans le voir, et essayent de comprendre les signaux envoyés depuis la rive distante. Ils finissent par saisir que quelque chose se déroule en contrebas. Georges appelle de nouveau. Il découvre alors Tham, chef des sherpas, en train de le rejoindre. Ce moment de retrouvailles est intense. Tham s'avance vers Georges, le regarde en silence et le touche pour s'assurer de son état de santé. La hauteur de la chute l'impressionne. Il observe la terrasse magique sur laquelle il vient de mettre pied, heureux de retrouver Georges à peine contusionné. Le regard profond, il lui témoigne plusieurs fois sa surprise et, avec un sourire timide, le surnomme Shiva. Il fallait être un Dieu, pensa-t-il, pour être resté en vie à la suite d'une telle plongée. Le nom Tham restera longtemps gravé dans la mémoire de Georges. Il naît de ce moment une grande affinité et une grande sensibilité entre les deux hommes.

Ils rejoignent le sentier rocailleux après quelques escalades. Arrivé à hauteur de ses compagnons de fortune, Georges regarde chacun d'un œil hagard. Il lui semble ne plus faire tout à fait partie de cette équipe. À cet instant, l'expédition ne rime plus pour lui avec sommet, comme un arrêt soudain à toute envie d'escalade. Le reste de sa journée est pénible. Chaque pas ou mouvement lui donne l'impression qu'il va perdre une partie de son corps sur le chemin. Et la route pour rejoindre le camp de base est encore longue !

Le soir, l'équipe décide de faire étape dans un lodge à la sortie du village. Georges s'installe, seul, dans la dernière chambre disponible et s'allonge difficilement sur le bas flanc de bois. Une jeune Tibétaine, à qui Tham a raconté l'aventure de la journée, lui rend visite. Namaskar, lui dit-elle d'une voix douce. Son nom, Atsang, signifie rivière sinueuse ! Elle le regarde profondément en lui offrant un thé chaud. Ses yeux bruns luisants, son sourire tendre, sa présence attentive amènent Georges dans un espace de tristesse et un regard intérieur.

Les femmes avaient toujours été très présentes sur le chemin de sa vie. Il avait soif des âmes féminines ! Seule la rencontre avait un sens. Ne pas s'attarder, ne pas s'attacher, ne pas rester. Dès qu'il sentait que la rencontre se figeait, il repartait en toute liberté.

La vie lui fait un nouveau cadeau en plaçant cette jeune femme sensible et sensuelle en face de lui, le soir même de sa chute dans le vide. Une rencontre dans le regard, la respiration, le temps suspendu, juste pour rappeler de célébrer le moment présent. Atsang, sans s'en rendre compte, est ce lien providentiel, ce raccourci nécessaire pour lui permettre de sentir ce vide tout particulier. Et s'il avait à sentir autre chose ? S'il avait à sentir le vide de la femme et appréhender ce mystère ? Et si toutes ces femmes rencontrées n'avaient été qu'un long passage obligatoire conduisant à la guérison et à la compréhension du mystère ?

Le lendemain matin, le ciel est clair. La caravane reprend la suite de son ascension. Quelques passages de cols et l'arrivée à la base du glacier transforment le paysage. Elle quitte la traversée des gorges profondes pour entrer dans ce monde minéral fait de glace et de pierre. Régulièrement, Georges regarde ses pieds se déposer sur le sol, parfois près du bord du chemin. Il sent que la chute peut se reproduire à tout moment. Quelque chose a vraiment changé ce matin. Il s'est installé comme une sorte de tendresse, de douceur dans sa manière d'appréhender la suite de ce voyage. Il sent son cœur battre, pas juste la fréquence cardiaque inhérente à la marche, mais quelque chose de plus fort. La respiration vient d'ailleurs.

La chute a ouvert un espace nouveau. Un peu comme si une mort chamanique avait marqué le passage. Rien ne pouvait plus être comme avant. Son cœur bat à l'intérieur de sa poitrine forte et vaste comme l'univers. Cela lui fait presque mal, mais cette douleur est délicieuse. Il s'agit de cette douleur qui fait fondre la neige au printemps et tomber les feuilles à l'automne. Georges est sur le chemin, avec lui-même, pour retourner à la source. Il ressent beaucoup d'amour. Cet amour qui exprime la gratitude pour la beauté de cette vie. Même si l'expédition ne fait que commencer, il sent que les retrouvailles avec Anaïs lors du retour au Canada seront fortes. Il sent qu'il sera différent et qu'il sera un étranger qui passera la porte. Il sera un étranger qui portera le parfum du Bien-Aimé.

Georges place le bâton de sagesse, poils et plumes au vent, sur le dessus de son sac, à la manière du chevalier portant son étendard, pointe dirigée vers le ciel, base vers la terre. Georges est le canal entre ces deux extrêmes, un peu comme s'il souhaitait capter la lumière divine. Il progresse seul et à chaque rencontre sur sa route, il observe les regards intrigués des indigènes sur ce bâton rare et inconnu.

Tham, témoin privilégié, est sans doute l'unique membre de l'équipe à avoir compris que la vie de Georges a basculé en quelques minutes. Tham lui fait remarquer qu'il marche encore très près du bord du précipice. Georges sourit. Il sent, cette fois, le danger écarté. Marcher sur le bord, c'est simplement retrouver la sensation de marcher sur un fil. Et si la suite de sa vie consistait tout naturellement à marcher sur un fil ? N'était-ce pas ce qu'il avait appris à faire toutes ces dernières années ? Une différence de taille lui apparût néanmoins. Il s'était promené sur le fil, mais la plupart du temps de manière naturelle, spontanée et inconsciente. Quelque chose a changé depuis ces derniers mois et la chute a cristallisé cette sensation. Pourquoi ne pas décider de marcher, à partir de maintenant, sur le même fil mais dans la conscience ?

Tham reste tout emprunt de cette sensation d'avoir rencontré Shiva. Georges sent Shiva progresser dans ces Vallées Perdues à la rencontre de *l'essence-ciel* ! Anaïs ne lui a-t-elle pas révélé, durant les mois précédant son départ, que seule la rencontre de Shiva avec la Déesse vaut la peine d'être vécue ?

Le groupe s'arrête à Chamé, petit village au pied des Annapurnas perdu à trois mille mètres d'altitude. Il pleut depuis trois jours et le ciel est tellement chargé de nuages sombres qu'il est impossible de découvrir les sommets de ce paysage mythique. Les routes se sont effondrées, emportant ponts et flancs de montagne. L'armée népalaise a décidé de fermer tous les accès pour des raisons de sécurité. L'ensemble de l'expédition reste bloqué dans ce petit village durant six jours. Ce temps d'immobilité apporte à Georges le troisième cadeau de sa présence à cette aventure. La sensation d'être pris au piège, de se retrouver dans un lieu d'où on ne peut repartir et où il n'y a rien à faire. Attendre, juste attendre.

Il s'assied sur un énorme bloc dont le sommet est poli à tel point qu'il imagine que ce rocher sert à accueillir la forme de ses fesses. Au bord du torrent traversant le village, Georges reste immobile, le bâton de sagesse déposé sur ses genoux. Il caresse les poils de loup et observe les Népalais qui déambulent sur le chemin. Il s'interroge sur le sens de cette attente. Attendre quoi ? Attendre qui ? Attendre tout simplement. Mais qu'y a-t-il à attendre ? Attendre de partir, mais pour aller où ? Avec qui ? Pour faire quoi ? Toutes ces questions se bousculent et aucune réponse ne vient, juste une impression de lâcher prise. Il observe les autres membres de l'équipe se débattre dans la recherche d'informations. Il les écoute se plaindre de la perte de temps et du retard occasionné par cette météo catastrophique, d'avoir peur de ne pouvoir atteindre le sommet de la montagne avec un tel retard sur le programme, des dépenses supplémentaires que cela va occasionner. Plus le temps passe, plus Georges s'éloigne. Plus le temps s'écoule, plus il disparaît. Les tensions entre les membres du groupe sont de plus en plus présentes. Une certaine irritabilité naît, les différences émergent, exacerbent et exaspèrent. Être seul, se dit-il, c'est être en bonne compagnie !

Georges est maintenant au pied de la paroi de sa nature profonde. Ce pourquoi il est venu dans ces contrées reculées. Le plus important n'est pas ce qui est prévu, mais tout simplement ce qui arrive. Il déambule dans le village, le bâton à poils sur l'épaule. Cela intrigue toujours les villageois. À tel point qu'ils le questionnent sur la nature phallique de cet objet prolongé de plumes qui ressemblent à s'y méprendre à des drapeaux de prière. Un homme s'approche de lui et lui offre un sac brodé à son nom afin de protéger ce bâton énergétique de la pluie diluvienne. Touché par ce don, il offre au Népalais quelques plumes. Une légèreté l'habite. Un sentiment nouveau et magique de bien-être l'envahit. Il partage les sourires, les regards et le thé amélioré de cet alcool local puissant à réveiller un mort.

Il va où il sent et, dans cet espace flottant, identifie l'endroit où il doit être. Il passe l'après-midi au coin du feu avec quelques Népalais. Une jeune femme du groupe attire son regard. Les yeux verts de Georges interpellent et invitent à la rencontre. Les autres personnes témoins comprennent avec un léger sourire complice et se retirent. Dans cet espace, Georges s'arrête. Il s'allonge sur une couverture en poils de yacks, à proximité d'un foyer bienveillant. Elle s'approche de lui. Ses cheveux noirs caressent ses seins et son sourire le pénètre au plus profond de son être. Dans cet état, il se souvient de cette nuit extatique passée avec Anaïs, où en position de loup sur ses quatre pattes, le corps en équilibre, le regard perçant, le nez à la recherche de sensations, il s'abandonnait totalement, sans rien attendre, sans rien faire, sans rien demander.

Georges plonge à son tour dans les yeux pétillants et tendres de cette Déesse népalaise. Mais quel Dieu, se dit-il, l'a donc déposée à cet endroit où il n'y avait rien à attendre ? D'une voix douce, il lui demande son nom. Dhoma, lui répond-elle. Il sent un pont suspendu sur le vide. La vibration traduit cette connexion énergétique et vivante au-delà du rêve. Le voilà, présent à une femme, au bout du monde, simplement dans une résonance amoureuse. Son émotion est une vague qui vient réveiller l'océan et qui touche en plein cœur ! Georges lit toute sa sensibilité dans le regard de Dhoma. Elle est un miroir puissant. Leurs larmes coulent de la même source. Il est bon de se sentir proche, allumé par la passion d'être. La rencontre est simple, naturellement délicieuse, dans la communion des sens ! Une aspiration dans le vide où les corps entament une danse sensuelle. Cette rencontre avec le corps sauvage, doux et puissant de Dhoma le transporte dans un autre monde. Il plonge son visage dans ses cheveux épais. Il y retrouve cette odeur forte de graisse de yacks que les Népalaises utilisent pour lisser leur chevelure noire et féline. Ils quittent leurs vêtements et retrouvent cette nudité essentielle à la rencontre des âmes. Les caresses, les baisers nourrissent cet amour imprévu. Georges effleure le pubis noir de sa Bien-Aimée. Le corps de Dhoma tressaille et sa vibration orgasmique connecte Georges à sa nature sauvage. Lui vient une pensée pour tous ces vagins visités durant sa vie intense. Georges a tellement séduit qu'il aurait pu se perdre. Par chance, cela n'a pas été le cas. Même si la plongée dans l'ombre de ces dernières années lui a permis d'entrevoir la guérison, il lui semble que le chemin n'est pas terminé. Il a soif des âmes féminines, certes, mais il lui reste à savoir d'où lui vient cet appétit, cette gourmandise. D'où lui vient cette force séductrice ou tout au moins ce qu'il en reste encore ? Quelle est cette force qui souhaite impérieusement plonger au plus profond de l'intimité d'un vagin depuis qu'il est devenu homme ?

Et par chance, la vie l'amène une nouvelle fois face à la Déesse à travers cette rencontre avec Dhoma, en plein milieu de l'Himalaya. Il place ses mains en coquille sur le sexe de la Shakti pour en protéger l'entrée. Un rituel sacré pour célébrer toute la beauté du féminin. Elle sent, alors, le corps de l'homme se déposer avec douceur et puissance sur son ventre. Dans un mouvement déterminé et doux à la fois, il franchit la porte du sanctuaire. En la pénétrant, il sent qu'il plonge dans le vide, qu'il se glisse dans cet espace connu et inconnu où tout peut arriver. Il retrouve la puissance physique et énergétique dans son pénis. Son corps vibre, tremble. Georges, abandonné, perd tous ses repères.

John, alpiniste de l'équipe, à la recherche de son compagnon de voyage, retrouve Georges dans cet espace intime et magique. Témoin de la beauté du moment et de ce passage hors du temps, il se retire discrètement en lui annonçant le départ de l'équipe de Chamé le lendemain au petit matin.

Un hélicoptère russe piloté par des Tchétchènes sort le groupe et la tonne de matériel de ce piège qui n'en est plus un. L'arrivée à Phu est extraordinaire. Ce petit village se trouve au cœur des Vallées Perdues, à quelques heures de marche de la frontière népalo-tibétaine. Georges ne peut s'empêcher de se réjouir de se retrouver dans un tel lieu, au bon moment. Une douce folie l'envahit. Ce village, riche de quatre-vingts habitants, est perdu entre ciel et terre à quelque quatre mille mètres d'altitude. Le temps s'y est arrêté. L'on y vit et cultive comme il y a deux cents ans. Encore peuplé d'environ cinq cents personnes il y a quelques années, l'attrait de la vie à Katmandou et la rudesse de la vie à ces altitudes élevées ont drainé la plus grande partie de la population.

L'endroit est propice pour s'arrêter, s'asseoir et regarder. Sa solitude est une bonne compagne, il n'a plus envie de rencontrer, plus envie de parler. Il a cessé de réduire son être à la dimension de sa tête. Juste sentir et ne rien attendre une fois de plus. Redevenir lucidement attentif. Il sait que cette énergie de l'attention conduit à la liberté.

La montée de Phu au camp de base est difficile. Le passage rapide à quelque cinq mille mètres d'altitude est soudain, d'autant plus que la phase d'acclimatation a été réduite à sa plus simple expression. Son corps est diminué par les effets de la chute, l'amaigrissement et les conditions humides dans lesquelles il vit depuis trois semaines. La dernière arête est raide. Il souffle, son sac est lourd. Il ne se souvient plus, lors des expéditions précédentes, d'avoir eu autant de difficultés dans des conditions similaires. Le ciel est sombre et l'air rare. Il se retourne et regarde vers la vallée. Quelques rayons de soleil viennent créer une ouverture lumineuse dans le ciel et l'éblouissent. Les larmes reviennent sur son visage. Il se sent vulnérable et crie : « Shiva, aide-moi ! » Quelques minutes plus tard, les nuages se referment, les rayons disparaissent et Shiva termine son ascension vers le sommet de l'arête. Ému, il arrive au camp de base et découvre Tham venant à sa rencontre avec une tasse de thé à la main.

La suite de l'expédition est compromise. Le retard pris ne laisse qu'une petite fenêtre de temps pour l'ascension proprement dite. Georges est seul dans sa tente, sans l'avoir choisi. Il est totalement désynchronisé de ses compagnons de cordée. Il se retrouve seul en altitude lorsque ceux-ci descendent au camp de base. Il se trouve au camp de base avec les cuisiniers et Tham lorsque ces derniers sont en altitude.

Il prépare son sac, y accroche les piolets, les crampons, la corde et les broches à glace. Il y plonge la nourriture d'altitude, ses duvets et des bouteilles de gaz pour équiper le camp. Il se demande, par ailleurs, pourquoi emporter une corde alors qu'il est seul. La corde habituellement réunit deux personnes. Après réflexion, il décide de la conserver. En cas d'incident, elle pourrait être utile.

La montée est pénible. Le passage sur l'arête oblige à la vigilance. D'autant plus que le soleil influence considérablement la qualité de la neige dans laquelle il s'enfonce régulièrement. Chaque fois, cela lui demande un effort particulier pour se dégager avec le poids du sac. Au crépuscule, le ciel prend une couleur jaune orangée, l'effet est féerique. Georges approche d'un champ de crevasses et de séracs qu'il doit traverser pour rejoindre le camp d'altitude. En découvrant cet espace, il a peur : en cas de chute, une fois de plus, personne ne le verra tomber. Rassuré par sa corde et sa longue expertise de la montagne, il respire et s'engage. Il entreprend un parcours sinueux dans ce qui semble être un musée de glace. Il a l'impression de marcher sur un nuage tant ses jambes ne peuvent plus le porter.

À la nuit tombante, il trouve le camp abandonné à quelque six mille mètres d'altitude. Il s'installe et fait fondre de la neige pour préparer un potage reconstituant. La nuit est froide, lumineuse et étoilée. La tente est emplie en son milieu d'une couche de glace. Dans ces conditions, il lui est difficile de s'allonger réellement. Il décide de s'asseoir, le dos appuyé sur les sacs de matériel. Finalement, cette position l'aide à mieux respirer. Son cœur palpite et il ne peut dormir, passant la nuit à écouter sa respiration avec l'impression de mourir tant les palpitations sont intenses. Sa fréquence cardiaque est très élevée, ce qui explique la difficulté de s'endormir malgré l'extrême fatigue. Cependant, il trouve le rythme respiratoire qui convient pour accueillir le lever du jour qui traîne à venir.

Il fait grand froid. Après cinq nuits sans sommeil, il décide d'abandonner. Le choix est direct, puissant et déterminé. Pour la première fois de sa vie, il décide de faire demi-tour. Il a toujours pris soin de monter au sommet, d'aller au bout de ses projets. Ego ou sentiment de ne pas être à la hauteur en cas d'abandon ? La chute dans le vide, la solitude, le chemin accompli jusqu'alors ne pouvaient que préparer à cela. Un second plongeon dans le vide ? Découvrir quelque chose de nouveau, sentir la force dans la vulnérabilité, le point de bascule après ce demi-tour. Cela le touche fortement. Seul pour se regarder, seul pour rassembler et redescendre la totalité de son matériel, seul pour retraverser le champ de crevasses et de séracs. Le sac sera très lourd et la descente demandera beaucoup de vigilance. Une chute avec un tel poids sur le dos l'entraînerait indéniablement dans le vide glaciaire. Il n'y aura plus de montée, se dit-il. Tout est terminé !

Cela le ramène à l'expédition, un an auparavant, avec son père à Chamonix. Âgé de soixante-quinze ans, le vieil homme, encore très en forme, rêvait de retourner une dernière fois en montagne. Georges accepta de le guider et de remonter avec lui simplement la Mer de Glace. La progression sur ce glacier magique, conduisant au refuge du Couvercle, se transforma en épopée. Mesurant la limite physique du père, il l'invita à plusieurs reprises à faire demi-tour. Le père refusa, invoquant n'avoir jamais fait demi-tour de sa vie. Malgré les mises en garde de sécurité, obstiné et entêté, son père insista pour poursuivre la progression. Georges continua à assurer la montée dans des conditions extrêmes et très particulières. Il se souvint de le voir mourir à diverses reprises tant la situation fut confrontante, que les limites physique et psychologique furent atteintes. Une vraie ascension thérapeutique, le nettoyage des non-dits, mais surtout une escalade sur l'échelle de l'humanité, la rencontre de deux hommes dans la beauté du rendez-vous ultime.

Cette nuit hors du temps fut celle d'une cordée inattendue, la cordée père-fils où les rôles s'inversèrent. Le fils devint guide, expert et accompagnateur. Celui qui secoua, montra le chemin, rassura, reconnut, valorisa, sécurisa et en final sauva le père. Une nuit durant laquelle le père vit se dérouler sous ses yeux toute une vie, toute sa vie. Le père se vit mourir à tel point qu'il demanda à Georges de le laisser là, de l'abandonner. Le fils le regarda, une pensée le traversa. Il se souvint de ce que lui avait demandé son père quelques mois auparavant :

– Après mon décès, je souhaite que mes cendres soient dispersées en montagne et que tu en sois le porteur.

Cette pensée déclencha chez lui un appel d'air et il sentit une ouverture pour leur permettre de repartir :

– Papa, si tu restes là, tu vas mourir. Finalement, c'est une bonne idée que tu décides de mourir à cet endroit. Saute directement, juste au-dessous il y a de grandes crevasses profondes. Tu n'auras pas besoin d'être incinéré et je n'aurai pas à revenir pour disperser tes cendres. Tu as bien fait de venir !

Une véritable danse de la mort avec un filet tendu sur le vide. La cordée se remit en mouvement. Dans les passages surplombants, le vieil homme prit conscience de la limite de son corps. Il découvrit, lorsqu'il fut envahi par la peur et la colère, la force tranquille du fils. Cette fragilité l'amena dans cet espace de vulnérabilité où rien ne peut plus être caché. Plus de jeux, plus de masques, juste être l'homme qu'il est tout simplement. Tout au long de cette longue nuit de quatorze heures, Georges vit aussi se dérouler le film de sa propre vie. Lors des moments difficiles de son père, il sentit toute la violence verbale qui l'avait tant blessé lorsqu'il était petit garçon. Cet espace où les mots exprimant la colère et la peur faisaient mal. Il perçut comment sa grande sensibilité et son féminin avaient été blessés.

À l'arrivée au refuge du Couvercle, sous la neige, les deux sacs sur le dos, son père accroché à sa ceinture, Georges remercia la vie de lui avoir permit de se trouver à cet endroit, à ce moment.

Le lendemain matin, nouvelle tempête de neige. Une petite fenêtre de vingt minutes permit aux secours héliportés de récupérer le père incapable de redescendre par ses propres moyens. L'aventure se termina par quatre jours d'hospitalisation pour épuisement et déshydratation. Deux ans après son retour de Chamonix, son père sera victime d'une thrombose !

Ce souvenir amène George à regarder toute la force qu'il lui a fallu pour prendre cette décision de quitter ce camp d'altitude himalayen et de redescendre au camp de base. Il était constamment allé au bout de toutes ses décisions et de tous ses engagements. Et aujourd'hui, cela lui semble tellement facile d'abandonner l'idée d'aller au sommet. Un peu comme s'il avait senti que le danger est plus haut ou que le rendez-vous est plus bas. Il se souvient aussi, qu'avant son départ, Anaïs était inquiète à l'idée de le perdre. Elle avait vu, imaginé sa chute. Elle avait eu peur de son obstination et de son ego. Georges se retourne et regarde une dernière fois le camp, les crêtes enneigées, les séracs et les crevasses. Il prend la direction du vide pour rejoindre le camp inférieur. À deux ou trois reprises, l'une de ses jambes traverse la couche de neige et de glace. Le poids du sac aidant, il se retrouve tantôt la jambe gauche, tantôt la jambe droite dans le vide. Décidément cette expédition est le rendez-vous du vide !

— Georges, quand tu t'ouvres à cet espace du vide, tu deviens un vase. Tu reçois avec le cœur et dans le fond de l'âme. La présence étanche la soif de l'âme et rejoint l'autre dans la profondeur. Dans cette union où vibre le cœur en résonance avec le vide s'ouvre le canal. Georges, te souviens-tu ? Lorsque j'ai allumé la flamme devant la statue de la Déesse pour inviter notre capacité à embrasser le vide, tu m'as répondu : « Le vide ? » Oui, écoute à partir du vide. Le vide contient le mystère du sexe de la femme, c'est un trou, une porte ronde qui laisse passer la vie. Pour laisser passer la vie, la femme doit embrasser ce vide. Elle doit devenir un canal et disparaître pour naître à l'autre dimension, celle de la vacuité de son essence.

Nourri de cette pensée, il comprend alors que ses jambes ne sont pas suspendues dans le vide aérien par hasard. Il se surprend à avoir envie de s'attarder pour mieux ressentir encore. Néanmoins, un sursaut le ramène pour extraire sa jambe et continuer la descente. Rien ne lui est épargné. Homme sensible et attentif, il ne perd aucun des enseignements offerts par cette montagne sauvage et belle à la fois : une vraie Déesse. Georges est alpiniste pour cette raison, juste pour apprendre !

Au camp de base, il retrouve les sherpas. Tham, accueillant comme à l'habitude, prépare un repas reconstituant. Georges décide de manger dans la tente cuisine en compagnie de ses amis népalais. Il y règne une ambiance chaleureuse. Il remet un cadeau à chacun d'entre eux en témoignage de gratitude pour leur présence et leur soutien. Bien que l'heure ne soit pas trop avancée, il décide de passer une dernière nuit au camp. Il aspire, enfin, à une vraie nuit de sommeil. Il se dit que la septième sera la bonne ! Vers trois heures du matin, Georges entend des souffles insistants autour de sa tente. Les yacks décident de faire de son lieu de sommeil une zone de broutage exceptionnelle. Il a peur d'être piétiné dans cette nuit sombre par ces bovidés puissants et lourds qui ne peuvent vivre en basse altitude. Georges sort de la tente rapidement, la lampe frontale accrochée sur la tête. Il découvre avec stupéfaction cent paires d'yeux rouges qui le regardent fixement. Les yacks, curieux, se rapprochent. Il leur lance quelques pierres afin de les éloigner. Le signe est déterminant, il quitte l'espace montagne.

Au petit matin, après un bon repas, Georges rassemble quelques affaires pour se rendre au monastère tibétain, sur la montagne voisine de Phu. Il n'attend personne. Son expédition est terminée. Il souhaite être seul, le plus léger possible. Sur le chemin, le troupeau de yacks de la nuit le regarde passer. Il les regarde avec un sourire détaché et dépourvu de rancune. Quelques heures plus tard, il s'arrête à la yackerie pour échanger des paroles avec les Tibétains. Il sent la forte odeur de lait rance et reçoit quelques morceaux de fromage qu'il a du mal à avaler tant le goût est prononcé. Il leur offre, en remerciements, des fruits séchés et quelques biscuits. Il rejoint rapidement la porte du monastère. Le lieu de recueillement perdu dans la montagne de pierres est abandonné. Aucun lama, aucune âme qui vive.

Voilà un lieu laissé intact pour l'accueillir. Un dédale de petites ruelles l'amène face à une vieille porte de bois qui sent la fumée. Une traction sur une queue de yack suspendue à une ficelle lui permet d'ouvrir la porte sur une cour intérieure ensoleillée. Il a la chance d'entrer dans l'espace réservé aux appartements du Lama Rinpoché. Ce terme est un titre honorifique propre au bouddhisme tibétain et signifie littéralement « précieux ». Assis sur une pierre chaude, Georges médite une bonne partie de l'après-midi et observe la courbe descendante du soleil. Un parfum envahissant se dégage de ce lieu, comme s'il avait été délaissé il y a peu de temps. La transition entre la glace, la neige abandonnée hier et cet endroit paisible a été rapide. Lui vient cette sensation particulière de ne plus savoir s'il avait été réellement en montagne, tant cela lui semble déjà loin dans le temps. Il sent qu'une page importante vient d'être tournée.

Des moulins à prières, légèrement cuivrés, sont disposés sur le flanc droit de la cour et rappelle sa rencontre avec Anaïs. C'était un jour d'octobre, trois années plus tôt au Québec. Une rencontre dans un paysage sauvage à proximité d'un lac au moment du grand rassemblement des oiseaux migrateurs :

– Georges, pour ouvrir la porte du chemin malaisé, j'aurai
  des choses à te dire pour que tu comprennes. Je le ferai,
  petit à petit, pas à pas, pour que tu trouves la porte du senti,
  à travers ton corps, tes sens et que tu puisses reconnecter
  avec la mémoire primordiale d'amour. Cette expérience de
  reconnexion se fera à travers l'énergie des montagnes sur le

chemin du sommet. La rencontre d'une partenaire est une chose rare. Elle demande une intimité extrêmement profonde car il s'agit d'une rencontre d'âmes dans la sexualité et dans la spiritualité. Pour cela, la mort de la dépendance affective est une condition préalable. Ton histoire t'a amené à vivre de très nombreuses rencontres et expériences sexuelles, c'est là un cadeau de la vie. Tu as goûté ce chemin de la sexualité à ton insu et cela est une richesse. Tu as à prendre le temps de faire le bilan de tous ces cadeaux reçus !

Georges sent toute la puissance des mots prononcés par Anaïs. Ils résonnent encore dans cette enceinte sacrée. Il lui semble que les moulins à prières se sont mis à tourner. Et la voix du Maître reprend de plus belle, à la vitesse des moulins.

– Georges, écoute avec ton cœur. Goûte à l'amour avec tout ton être, ton cœur, tes sens, ton corps et laisse ton féminin prendre la place dans le senti. Tes silences sont remplis de douceur, c'est extrêmement touchant. Une partie de toi a cessé très vite de se battre. Tu as complètement changé de niveau, je ressens tellement ton espace. Cette force qui t'habite est évidente et tu as une manière de la faire passer. De cette façon, j'y vois mon avantage. C'est par ailleurs la première fois que je ne me rebelle pas. C'est avec bonheur que je te donne le bâton de sagesse, puisse-t-il t'aider à entrer avec grâce dans la cinquantaine. Je le troque pour la canne de ma grand-mère sur laquelle je peux m'appuyer : elle accompagne le grand âge et l'ère de la conteuse d'histoires. J'en ai aussi besoin pour pouvoir me relever, seule, un pas vers l'humilité dans l'acceptation des limites et l'autonomie au soir de la vie. Elle soutient la sagesse !

Ce bâton symbolisant le passage de témoin l'accompagne depuis le début de l'expédition. Il en ressent toute la puissance symbolique et la charge énergétique.

La porte de la cour intérieure s'ouvre en grinçant. John le rejoint dans la partie privée des appartements du Lama Rinpoché. John est la personne de l'expédition la plus proche de lui. Durant la période en montagne, il se rappelle que lui aussi se tenait éloigné du groupe. Ils s'étaient croisés régulièrement au camp de base, très souvent en silence. Ils regardaient les paysages assis tous deux sur des roches distinctes, avant d'échanger quelques mots. L'affinité était forte. Sa décision de retrouver Georges a été inspirée par sa sensation de perdre son temps au camp de base et de ne plus avoir de projet. Décidément, John arrive toujours à un moment particulier, se dit-il.

Les deux hommes décident de quitter le monastère avant la tombée de la nuit et de trouver un logement à Phu. Demain, ce sera la descente vers les gorges et la traversée escarpée permettant de rejoindre la vallée. Il naît alors une amitié particulière. La vie offre toujours l'occasion de grandir. Avec John, le retour vers Katmandou prend une autre dimension.

Au lever du jour, Georges et John traversent les brumes matinales et prennent le temps de se retourner, de regarder une dernière fois Phu, ce minuscule village hors du temps, accroché à la montagne, dominé par le monastère abandonné. Dans quelques instants, il disparaîtra, confondu dans l'espace. La descente demande cinq jours de marche. Les sacs sont légers. Tout le matériel de montagne est resté en arrière. Les sherpas sont chargés de le ramener à Katmandou. Les deux hommes progressent en silence. En Himalaya, perdre de l'altitude signifie qu'il y aura encore beaucoup de montées. Le voyage n'est pas fini et la vigilance reste de mise. Le corps est fatigué et amaigri.

La descente devient périlleuse et l'itinéraire hasardeux. Tous deux sont fatigués et ont mangé très peu. Quand rejoindront-ils le village étape ? Le soleil est couché, la nuit commence à tomber sur ce paysage abandonné et le terrain devient instable. Ils doivent traverser des moraines, sorte de langues de cailloux en forme de crêtes à l'équilibre instable. Georges sent l'inquiétude grandissante de son compagnon. La pénombre renforce cette impression de vide et les bruits de pierres roulant dans le ravin ne font que la décupler. Maintenant la progression se déroule dans le noir. Georges aime ces moments dans l'ombre où les repères disparaissent, où il va falloir inventer, improviser, sentir et plonger dans l'inconnu. Il lui semble qu'il est né pour cela. La nature de sa personnalité et sa passion de l'humain l'ont amené dans la gestion des ressources humaines une bonne partie de sa vie. Vice-président d'une compagnie pharmaceutique, il pilotait tous les changements importants touchant la vie des personnes. Il avait fait le tour de son métier et s'était retiré, écœuré, deux ans avant cette expédition en Himalaya.

Ils marchent depuis douze heures, et malgré que le but soit proche, rien ne laisse présager d'une arrivée rapide. Ils se retrouvent à la croisée de deux chemins. Quelle direction choisir ? Georges propose la piste de droite, John préfère celle de gauche. Georges sent, tel un loup, la direction à prendre. Il se laisse porter par son intuition. Il s'avance vers la droite et son partenaire, inquiet de rester seul, décide de le suivre. La vie offre toujours l'occasion de choisir. Partir seul, partir accompagné, prendre telle direction ou prendre telle autre, y a-t-il un choix plus important que l'autre ? Certes non. Faire confiance à notre destinée et accepter de ne pas tout savoir. Laisser un espace vide pour permettre à de nouvelles choses d'arriver. Il y a toujours un sens à nos choix même si parfois ils nous échappent. En fin de compte, la réponse vient toujours, que cela soit agréable ou non. C'est par ailleurs lorsqu'ils sont difficiles, désagréables que nous apprenons le plus !

Les deux hommes entrent dans un hameau en ruine. Ils n'ont plus qu'à bivouaquer à l'abri d'une vieille tôle. Georges se retourne, découvre une légère lueur en arrière-plan. Il décide de s'approcher de cet éclairage diffus. John l'ayant rejoint, ils se regardent en souriant. Ils viennent d'arriver, enfin, au lodge tant recherché.

Chapitre 2

Pour accompagner Georges dans son voyage dans les hauteurs, Anaïs s'est abîmée dans la profondeur. Le hasard a voulu qu'à la date de la montée de Georges au sommet de l'Himalaya, elle ait rendez-vous dans une hutte de sudation amérindienne. Le matin, la jeune femme se réveilla la peur au ventre. Une peur de mourir irraisonnée et tenace l'envahit jusqu'au moment d'entrer dans la hutte. Elle sut qu'elle y participait pour accompagner Georges à distance. Son inconscient chantait et battait du tambour, comme si elle connectait avec Pacha Mama, la Terre Mère qui appuie les montagnes du Pérou, comme s'il fallait qu'elle descende au centre de la terre. Une douleur insoutenable lui coupa les jambes et elle serra les dents jusqu'à ce qu'elle contacte les hommes de sa lignée et leur souffrance tue. Il fallait qu'elle les honore. Anaïs rampa, en faisant le tour du cercle sacré. Elle dut se frayer un chemin dans le noir à quatre pattes pour manger le chagrin des femmes de sa lignée. Ces femmes qui avaient attendu les hommes partis combattre, qui étaient revenus ou pas. Ce voyage de Georges en Himalaya la connectait à l'expérience de mort vécue trente ans plus tôt. Anaïs était restée un long moment dans le coma et avait dû choisir de revenir ou non à la vie. Finalement, elle était retournée dans la vie en en sentant toute la fragilité.

Georges est de retour chez lui au Québec, au bord du lac. La maison silencieuse l'accueille en cette fin d'automne. Au troisième étage, il se sent bercé au creux des montagnes environnantes, dans cet espace sans témoin. Il s'éveille avec détachement, le regard tourné vers l'est. Les brumes embrassent la cime des arbres. Leurs troncs majestueux s'élancent jusqu'au sommet de la terrasse de sa chambre. Il s'étonne de découvrir les nombreuses feuilles encore attachées sur les branches. L'été indien touche doucement à sa fin. Par chance, la vie lui accorde une légère pause entre la neige himalayenne et la neige canadienne.

Au saut du lit, il se réfugie dans la douche. Moment éternel et bienfaisant. La sensation agréable de l'eau ruisselant sur son corps sans vouloir s'arrêter. Ce voyage a laissé des traces, son corps amaigri et la fermeté de son ventre en témoignent. Les muscles fessiers ressemblent, quant à eux, aux fesses d'un chevreuil en fuite, tant ils sont bandés et fuselés à la fois. Après un léger repas, il sent la rencontre avec Anaïs proche. Il avait toujours l'art d'arriver au bon moment, lui disait-elle souvent !

Cet instant est l'heure du rendez-vous. Une trentaine de minutes plus tard, Georges fait vibrer la sonnette de la porte par un mouvement rotatoire. Il s'agit de ces vieilles sonnettes cuivrées que l'on fait tourner dans le sens des aiguilles d'une montre, un peu comme le rituel du cercle amérindien.

La porte n'est pas fermée à clef. George traverse la cuisine, atteint la grande salle et se retrouve face à Anaïs totalement surprise. Elle ne l'attendait pas si tôt. Enroulée dans une serviette de bain, elle sort de la douche. La puissance de leur regard les immobilise. Aucun mot, juste le silence de leurs retrouvailles. Ils prennent du temps avant de se rapprocher l'un de l'autre. Enfin, les corps s'enlacent dans l'énergie de l'ours. Cette force d'âme qui invite le respect et rassure. Ils respirent d'un seul élan, la vibration est intense, d'une force énergétique indéfinissable. S'ouvre instantanément dans leurs ventres un espace de vide. Ils s'abandonnent à cette impression de chute et de vertige. Naît alors un feu qui les embrase. Dans l'immobilité, l'énergie traverse les chakras et monte à la verticale. Ils se fondent dans la sensation orgasmique. Les larmes ruissellent sur leurs visages. La connexion cœur-à-cœur est une essence divine. Après quelques respirations, Anaïs, désarçonnée, regarde Georges. Elle découvre son trouble.

– Je n'ai jamais autant désiré te sentir, me recueillir dans l'instant porté par l'océan d'amour et par ton souffle, lui dit-elle. Je souhaite prendre le temps de respirer le mystère, le laisser s'approfondir et goûter à la bénédiction des retrouvailles.

Georges, ému, profite de cet instant magique. Il ne se souvient plus de la durée de ce face-à-face, tant le temps semble s'être arrêté. Ils décident de s'asseoir dans le sofa face à la grande cheminée de pierre. Au passage, Anaïs attrape un poncho en laine d'alpaga qu'elle jette sur ses épaules et sa poitrine dénudée. Un cadeau de Georges ramené quelques années auparavant d'un voyage dans la Cordillère des Andes. D'une expédition à l'autre, il retrouve cette expérience connue et commune à tous ses retours. Le temps, l'espace, les rencontres qui suivent ne sont plus tout à fait les mêmes. Lorsqu'il revient, tout est différent.

Georges prend le temps de regarder la totalité de l'espace qui l'entoure. Il observe la statue de Shiva et les guirlandes d'offrande qui la décore. Il plonge le regard vers l'extérieur et découvre les drapeaux de prière offerts durant l'été par un Lama Rinpoché de passage qu'il apprécie beaucoup. Ils flottent toujours au vent, saluant et invitant les esprits à protéger cet espace de vie. Georges regarde cette immense pièce, témoin de tous les moments partagés, témoin des nombreux passages et des moments intenses vécus avec Anaïs.

Anaïs est une femme forte, rien ne permet d'en douter. Sa corpulence et sa silhouette imposent. Sa poitrine cosmique déborde et invite. Ses longs cheveux anarchiques incitent à la précaution. L'équilibre permanent entre une inspiration renaissante et une expiration mourante impressionne. Son regard tantôt rassure et enveloppe, tantôt fustige. Ses yeux clairs, perçants interpellent. Ils disparaissent sous les paupières lorsque Anaïs parle avec le cœur. Ses déplacements sont toujours périlleux et imprévisibles. Il est difficile de prévoir si elle marche, court, vole ou nage pour arriver à destination. Elle aime se répandre, une bouteille d'eau renversée et la voilà aux éclats de rire ! Cette femme sauvage et raffinée surprend à chaque détour et excelle dans toute situation avec une aisance déconcertante. Elle dispose de cette faculté de se transformer en caméléon pour habiller toute situation. Sa sensibilité désarme et sa fragilité surprend. Quelques années auparavant, une ancienne relation usée par le temps l'avait conduite à la solitude, poussée par l'instinct qui lui demandait d'être fidèle à la vie plutôt qu'à un homme. La décision de cette coupure avait été salutaire, nourrissante. Elle avait eu besoin de prendre un recul, de faire table rase, de risquer sans savoir, au lieu de s'éteindre lentement. Ce point d'arrêt était devenu la naissance d'une nouvelle vie.

Georges observe une photographie de l'Himalaya suspendue au mur d'entrée, offerte à Anaïs deux ans auparavant. La vue de cette image le ramène à cette époque où il vivait au rythme trépidant des affaires. Il travaillait pour une entreprise pharmaceutique qui avait fait de lui le samouraï du changement pour l'entièreté du groupe. Cela l'amena à se déplacer régulièrement à travers la planète pour accompagner des changements majeurs dans les différentes filiales. Il travaillait dans un milieu de valorisation de l'intelligence, de la gestion des talents, de l'optimisation des potentiels et de la pression aux objectifs. Il avait fait le tour des approches du soi-disant développement du leaderchip et des pratiques de coaching. Il en avait perçu les limites. Sa manière d'aborder les sujets, de gérer les conflits dérangeait et interpellait. Mais les résultats obtenus et l'adhésion des personnes impressionnaient. Sa différence était sa force. Il allait à contre-courant, ramenait le bon sens là où il n'y avait que processus et méthodes. Un ordinateur a besoin d'un clavier informatique avec un être humain aux commandes pour produire un résultat, répétait-il souvent. L'entreprise en avait fait son spécialiste de la gestion de crises, au point de l'envoyer sur des terrains dangereux en situation insurrectionnelle, notamment en Afrique.

Au terme de dix années à ce rythme, quelque chose avait changé en lui à son insu. Quelque chose dérapait. Il attrapa la maladie du légionnaire, sorte de pneumonie dangereuse. Il eut plusieurs accidents de voiture dont il sortit chaque fois indemne. À chaque alerte, il repartait dans les heures suivantes. Tous ces signes lui disaient : regarde ! Il eut un projet, le plus complexe de sa carrière, à piloter. Cela l'amena à s'opposer à des collègues résistants et importants de l'organigramme. Le changement à grosses doses, à tout prix, sans tenir compte de l'humain et les approches technocratiques l'écœuraient. Il avait sa méthode décapante pour mobiliser, mais cela demandait aux dirigeants de s'investir sur le terrain en acceptant de sortir de leur tour d'ivoire. Lors d'une réunion au sommet, Georges avait réussi à tirer son épingle du jeu en faisant apparaître les failles du plan présenté. Cela avait irrité au plus haut point son patron direct. Il se souvint de cette scène ubuesque à la pause toilette. Deux urinoirs côte à côte, tous deux la braguette ouverte, son patron lui commenta : « J'aurai ta peau. » Georges continua d'uriner, avec un sourire intérieur narquois, plongea son regard vert éclair dans les yeux de son interlocuteur et resta silencieux. Une scène de loups alpha, le pénis entre les doigts, le pouvoir entre le pouce et l'index. Finalement, Georges eut la peau de son patron, mais ce projet fut le dernier. Il remit sa démission et changea d'air !

Certains parcourent le monde, l'Himalaya de long en large, les endroits les plus reculés de la Cordillère des Andes ou tout autre lieu exotique à la recherche d'un Maître. Lui n'a pas cherché et la rencontre a eu lieu, juste là. Cette rencontre extraordinaire s'est faite dans la vie ordinaire. Il se souvient du premier rendez-vous. La rencontre avec Anaïs fut amorcée, paradoxalement, par une autre femme dont il était amoureux. Avec le recul, cela lui semble être d'une telle évidence ! Georges partagea avec cette femme au fil de l'eau ses découvertes initiatiques. Après quelque temps, la relation avec la Bien-Aimée explosa. Pourquoi as-tu ce besoin de choisir toujours ce qu'il y a de mieux ? s'exclama-t-elle dans l'incompréhension de l'instant. Pourquoi aurais-je à choisir la médiocrité ? rétorqua Georges avec le sourire.

Lorsqu'il reçut les coordonnées d'Anaïs, il fut surpris de la proximité de leurs résidences respectives. Il ne savait pas qui elle était. Après quelques rencontres exploratoires, l'un et l'autre disparurent quelques mois, la durée de l'hiver. Anaïs partit en Arizona et Georges en Europe. Cette distance leur permit de sentir l'intelligence et la force de leur première rencontre.

Le jour des retrouvailles, Georges entama à sa demande la danse de Shiva, une danse rituelle de célébration. Shiva, le Dieu destructeur des illusions, porte au bout de son phallus la création. Dans son principe masculin, il rencontre Shakti, la Déesse. Anaïs, en lui proposant cette danse, souhaitait amener Georges, à travers le mouvement, à retrouver le sens de la création. Elle désirait reconnecter avec lui dans l'intensité du personnage. L'endroit où toute sa puissance s'exprime sans retenue. Dans ces moments hors du temps, il faisait appel à son instinct, sentait le mouvement, les gestes comme s'il avait déjà fait le voyage dans une autre vie. Sa danse s'était avérée puissante et énergétique. Sur son armure virtuelle, tous les coups au cœur rebondissaient avec une efficacité redoutable.

Georges retrouva Anaïs, quelques jours plus tard, dans sa maison perdue au milieu de la forêt. Sensible au toucher, il aimait masser et avait envie de créer une approche novatrice, sans trop savoir où cela le mènerait. Anaïs, sensible à son intention, souhaita explorer et percevoir ce qu'il imaginait. Quelque peu surpris et troublé par sa demande, il accepta. En quelques instants, Anaïs, dénudée, rejoignit la table de massage disposée face à la grande cheminée. Attentif, il installa Anaïs confortablement. Il l'invita à entrer en son centre et à respirer. Il inspira profondément et plongea au cœur de lui-même. Yeux fermés, il déposa les mains jointes sur les flancs du crâne d'Anaïs. Dans une danse rituelle, il entreprit ensuite des mouvements sur toutes les parties de son corps, souleva ses seins vers le ciel, fit tourbillonner les poignets au niveau du nombril, tel un tire-bouchon pénétrant eu plus profond de son ventre et de son être. Respectueusement, il descendit le long des cuisses en évitant la partie sacrée de son pubis, sur laquelle il porta juste un souffle hésitant. Le corps d'Anaïs vibra durant plus d'une heure. Georges pressentit qu'il était témoin d'un moment important de sa vie. Le silence et l'immobilité mirent un terme à cet instant hors du commun. Après quelques minutes, tous deux reprirent place face au foyer, encore tout empreints de ce qu'ils venaient de partager. Même si Anaïs sentit que cette rencontre n'était pas banale, elle n'en comprenait pas encore le sens.

— Comment as-tu appris à utiliser ces mains magiques ? Pourquoi les as-tu développées ? Sais-tu que tu devras être attentif au désir ? Celui que tu déclenches chez les femmes et le tien, précisa-t-elle. Il s'agit d'un espace délicat qui demande une vigilance permanente. La ligne est mince, fragile et tu vas devoir te protéger. Apprendre à te connaître aussi et à comprendre la nature de ta relation avec les femmes.

Georges reçut ces propos avec une certaine surprise. Il éprouva de la joie, du plaisir. Son ego était nourri. Soudain, une sensation étrange l'envahit. Devoir se protéger du désir, lui qui avait soif du féminin. Qu'est-ce qui le touchait présentement aussi fort ? Il se sentait en confiance avec cette femme et ressentait ce haut degré d'énergie qui permet l'ouverture. Indéniablement, il était en présence d'une femme différente de toutes celles qu'il avait croisées à ce jour. Mais, qu'y avait-il de nouveau ? Bien qu'attentif aux signes de cette rencontre, il ne savait pas encore tout ce que cela signifiait.

Ce face-à-face improbable les interpella. Ils auraient pu se rencontrer n'importe où sur la planète, ils étaient des voyageurs, mais la vie a fait en sorte qu'ils demeurent proches sans le savoir. La trame de la vie favorise la rencontre à ce moment charnière de leur existence. Georges aimait, tout comme Anaïs, la liberté. Il aimait en parler, juste le temps de marquer son territoire face à l'autre et de donner les règles du jeu. Il la respirait à pleins poumons, la transpirait. Anaïs lui fît remarquer qu'il n'avait vraiment plus besoin de la nommer. Quand on est libre, rien ne sert de le dire, cela se voit ! Le récent voyage en Himalaya et la chute dans le vide permirent à Georges de mieux sentir encore cet espace. Mais avait-il totalement conscience de la nature et la racine de cette liberté ?

Outre la passion de l'inconnu et de la liberté, ils avaient aussi en commun celle de l'humain : cet amour de l'homme, de la femme. Mais au-delà, ils aimaient les accompagner sur leur chemin. Dès le début de la rencontre, Anaïs ressentit en Georges cette force intense qui interpelle. Elle appréciait sa capacité à oser, sa totalité et surtout son intensité. Peu de personnes sont capables d'approcher l'autre ainsi et surtout de le vivre au quotidien, lui avait-elle commenté un jour. Cela fait peur ! Il fallait qu'il y ait ces résonances entre eux. Georges se passionnait pour le cheminement personnel et aimait prendre des risques. Il avait commencé très jeune. Georges vibrait davantage avec la question qu'avec la réponse. Il existait un terreau naturel, une connaissance préalable de l'espace d'éternité où tout était permis, un espace ouvert et sans limite.

Ce moment sur la table de massage avait précipité la rencontre. Mais il fallait quelque chose de plus puissant, de plus déclencheur pour sceller la magie et mettre en orbite les deux partenaires sur le chemin de la guérison. Ils se retrouvèrent, quelques jours plus tard, chez Georges au bout du lac. Une immense salle de méditation panoramique protégée par une porte indienne monumentale et un palanquin tranché en deux les accueillirent. Au bain de vapeur torride succéda une vibration régénératrice. Ils respirèrent ensemble. Anaïs était allongée sur un tapis volant afghan à deux places. Il la rejoignit et déroula son corps chaud avec douceur, délicatesse et puissance sur son ventre, sa poitrine et le reste de son corps. Elle sentit une nouvelle fois le goût du plongeon dans l'inconnu et la nature sauvage de Georges. Aucun mouvement n'était perceptible et les corps énergétiques célébrèrent cette immobilité. Georges se redressa soudainement à partir de son bassin tel un cobra, plaça ses deux bras en appui tendu de part et d'autre du visage d'Anaïs et la regarda profondément. Il sentit son sexe se durcir et la puissance de ses muscles gonflés le ramena dans un mouvement sauvage contre le corps d'Anaïs. Une roue orgasmique émergea de ce moment totalement imprévisible. Elle poussa des cris, serra Georges par les épaules, son dos et son bassin. Elle souffla telle une lionne et lui dit, au creux de l'oreille : « C'est là que je t'attendais ! »

À cet instant, Anaïs se retrouva propulsée dans son rêve prémonitoire. L'éveil brusque de ses sens l'entraîna dans une danse sauvage du corps, elle plongea. Ils roulèrent tous deux sur le sol et obéirent à l'intensité du courant qui passait entre eux. Les polarités s'inversèrent. L'espace devint léger, naturel, un lieu d'harmonie où chacun faisait un pas vers l'autre. Le tapis volant prit de l'altitude. Anaïs pénétra Georges avec sa poitrine nourrissante. Ses seins puissants étaient pointés vers le cœur du Bien-Aimé. Georges vibra à la source d'amour. Anaïs incontrôlable était prête à le dévorer, en train de rugir. Elle coupa avec ses dents le cordon avec la mère. Elle savait que c'était le moment de dévorer les liens de la relation symbiotique. D'un bond puissant, Georges se rétracta en sentant son sexe bandé. Explosa alors en lui l'envie de pénétrer la Déesse et il se rapprocha. Le gland effleura l'entrée du sanctuaire. Dans un moment de stupeur, il s'immobilisa sur la vague de plaisir. Il saisit que la rencontre était d'une tout autre nature. Il s'arrêta là ! L'extase fit ressortir la blessure. Apprendre à ne pas trouver la solution de suite et accepter le cul-de-sac. Anaïs était juste un miroir, à la hauteur. Dans la fusion des corps, à leur insu, le chemin s'ouvrit. Georges déposa sa tête sur l'épaule d'Anaïs, cessa de bouger et sa respiration devint plus douce. Il goûta la sensation. Quelle fut la force qui arrêta la pénétration, mais pas l'orgasme ?

Georges prit le temps de naître. Cela lui demanda beaucoup de temps, comme s'il attendait la réponse nécessaire pour sentir qu'il était le bienvenu. Quelque chose manquait au départ. Mais quoi ? Le temps pris pour quitter l'utérus, traverser le vagin de sa mère et rejoindre le monde extérieur avait été long et douloureux. À plusieurs reprises, il s'était arrêté, avait baissé les bras en soupirant, en se disant à quoi bon. Il entendait des voix l'appeler. Que voulaient-elles ? Pourquoi ces encouragements s'adressaient-ils à lui alors qu'il souhaitait rester là, ne pas venir. Laissez-moi tranquille, se disait-il. Finalement, il fallut venir le chercher avec une ventouse à la trente-cinquième heure. La sensibilité, la solitude, l'espace et la tranquillité, autant de constantes omniprésentes dans la vie de Georges suite à cette naissance forcée.

Le moment de cette naissance, et ceux qui ont suivis, sont à l'origine d'une faille profonde, où se terre la peur paralysante qui glace son ventre. Pour accéder à l'espace, il est au bord d'une crevasse taillée dans la profondeur des glaciers himalayens. La faille est l'accès incontournable. Un profond soupir monte de la racine de son sexe et évacue à travers le tremblement de son corps la frayeur du gouffre : il voit la porte à l'intérieur de lui s'ouvrir béante. Les chamans ont cette faille en commun. Elle est le passage vers l'autre dimension. S'engouffrer dans le passage permet de transformer la souffrance, d'entreprendre le voyage et de le nourrir aussi. Il fallait que la blessure de Georges soit intense pour entamer un tel chemin et surtout pour le poursuivre. C'est de toute évidence ce qui lui a permis d'être aujourd'hui qui il est. Il a forgé aussi sa vie pour éviter de ressentir la blessure d'homme.

Mais quelle était la nature de cette blessure originelle ? Georges perçut qu'il n'arrivait pas au bon endroit. Il le sentit dès le tunnel de naissance, dans cet espace intra-utérin qu'il ne souhaitait pas quitter. Il sait maintenant pourquoi il aime rester de longs moments le sexe tendu sans bouger dans le corps des femmes. Juste rester là, présent à l'intérieur du sanctuaire. Georges était un enfant désiré et très attendu par sa mère. Il découvrit, bien plus tard, qu'il était aussi l'objet d'un chantage affectif. Son père ne souhaitait pas d'enfant contrairement à sa mère qui en voulait un à tout prix. L'alternative était annoncée avec clarté : sa naissance ou la séparation du couple. Georges sentit qu'il arrivait en territoire hostile. Il manquait l'amour vrai. Cela étant trop lourd à porter, il baissa les bras. Il sentit son impuissance et la lourdeur du contrat à assumer. Georges se retrouva irrémédiablement coincé dans ce dilemme : une mère aimante, très désirante, qui le touchait souvent, aimait jouer avec son corps, soufflait sur son sexe, et sa peur à lui de tendre les bras, de toucher et d'être touché. Très vite, il apprit à recevoir les caresses et dans le même temps à s'en protéger. Il avait peur d'être englouti, de ne pas être respecté, d'être détruit, de ne pas ou de ne plus exister. Georges avait été reconnu, avant date, comme homme, mais à quel prix !

Cette relation mère-fils était une relation dévorante, une forme tendre de viol en gants de velours. Dans l'abus, la situation est claire : la ligne est franchie. Mais pour Georges, le message était plus ambigu. Même si cette mère aimante ne franchissait pas la ligne ultime, Georges se sentait en danger. Cette mère donnait du plaisir avec amour. Et Georges aimait sa mère. Pour se protéger, il assimila très tôt dans l'existence qu'il devait garder le contrôle. Prendre du plaisir, mais ne pas se laisser aller totalement.

La venue d'un frère deux ans plus tard entraîna le sentiment de la perte de l'amour maternel. Georges, comme beaucoup d'aînés, vécut l'abandon. Une fois de plus, la situation était ambigüe. Il était le préféré et aussi celui qui n'était pas ou plus choisi. Cette trahison de l'enfance l'amena à développer intuitivement la compréhension du fonctionnement humain. Sa mère fit de lui son ami, son confident et son amoureux. Elle reporta sur le fils son manque affectif. Inconsciemment, elle lui demanda de porter quelque chose qui n'était pas de son ressort. Cela lui enleva la légèreté d'être.

Durant toute sa vie, cette mère se plaignit en la présence de Georges de son manque de jouissance orgasmique, de l'incapacité du père à assumer sa masculinité. Ces propos intimes le touchèrent au plus profond de son être aux moments clés de la construction de son identité sexuelle. Elle ne prit jamais la décision de mettre un terme à cette relation symbiotique et fusionnelle dans laquelle elle ne s'épanouissait pas. Lors d'une séparation temporaire du couple parental, elle consulta Georges, âgé alors de douze ans, sur le bien-fondé de sa décision. Une fois de plus, elle lui volait un moment de son adolescence en faisant de lui un conseiller et un thérapeute avant l'âge. Elle partit avec son frère, il resta avec son père, tout en la retrouvant les fins de semaine. Georges fut un nouvelle fois celui qui était aimé et celui qui n'était pas choisi par elle.

À cette époque, il apprit à son insu à jouer le rôle de héros, celui du futur sauveur et libérateur des femmes qui ne jouissaient pas et qui ne pouvaient prendre leur destinée en mains, coincées dans une relation insatisfaisante. De son sentiment d'impuissance à régler les problèmes du couple parental, il allait inconsciemment et avec une facilité déconcertante vers les femmes en détresse. Il sentait, dès la première rencontre, les femmes en difficulté dans leurs couples. Il aimait la transgression, il n'était que de passage, investi d'une mission à accomplir. Dans son cœur d'enfant étaient inscrits la détresse de sa mère et son appel inconscient au secours. Adulte, Georges tentait d'y répondre pour masquer l'impuissance, car accepter pour lui était trop douloureux. Il avait peur de perdre pied et les points de repères inscrits dans sa psyché. Sa relation avec les femmes était teintée de cette première blessure. Il pouvait engager son sexe, mais pas son cœur dans le même élan amoureux : là était la coupure. Au-delà de payer un prix fort, il allait devoir retrouver l'espace d'avant la blessure.

Cette réalisation à partir de la limite qui s'était imposée, sans briser l'élan orgasmique, venait d'ouvrir la conscience. Georges découvrait son corps morcelé gisant aux frontières de la mort. Mort-vivant, il voyait la faille, levait le voile sur la nature obscure du désir et la structure de sa personnalité. Dans ce naturel détachement pour ce qui l'entoure, tout en restant sensible et attentif aux événements qui le touchent, il était devenu un expérimentateur, un véritable laboratoire vivant. Le questionnement et l'expérience le poussaient constamment à plonger dans l'inconnu.

Depuis son retour, Georges se rapproche de sa vraie nature. Anaïs le sent et démasque ses peurs, ses doutes. Elle assiste à la naissance de sa force et, ce qui est nouveau, elle sent une douceur émerger. Maintenant, la confiance s'installe avec la femme aimée, mais aussi avec toutes les femmes, telle une vibration. Énergétiquement, une légèreté s'est installée. Comme si la distance avait intensifié la présence à un autre niveau !

Georges s'allonge en face de la cheminée, regarde le plafond et revoit une partie de son voyage sur le toit du monde. Il regarde Anaïs servir le thé vert himalayen dont il raffole. Elle s'approche de lui et place sa main droite sur son cœur. L'énergie est forte. Il relaxe tout simplement, mais quelque chose lui barre encore le chemin. Il ne peut identifier ce que c'est, il n'a pas conscience de ce qui l'empêche de relaxer totalement dans les bras d'une femme.

Qui était-il ? Pourquoi un tel personnage ? Georges était un magnifique prototype d'hologramme. Cette image inscrite sur une plaque de verre et qui, lorsqu'elle est brisée, se reconstitue à l'identique dans chacun des morceaux. Vous preniez l'homme à un moment des méandres de sa vie et vous le retrouviez tout entier à l'identique, authentiquement lui-même. Il n'hésitait jamais à demander l'impossible à l'autre, toujours en lui laissant croire que c'était facile. Il poussait la cohérence d'être en accord avec lui-même en toutes circonstances, et surtout quand il avait tort. Il écoutait toujours avec bienveillance et détachement, ce qui irritait régulièrement son interlocuteur. Disponible, il savait et agissait pour et avant les autres en toute situation et ne se reposait jamais, ou si peu. La crise étant son métier, les femmes attendaient de lui plus que de quelqu'un d'autre. Et comme son côté vulnérable ne se voyait pas au premier contact, il était l'homme qui n'avait pas le droit de douter, d'être fatigué. Il n'avait pas de problèmes, ou si c'était le cas, était le champion de la résolution. Il irritait, et cela lui faisait mal, car la question posée le plus souvent était : « Georges est-il humain ? »

Lorsqu'il entrait en relation d'amour, Georges plongeait dans le vide, sans parachute. Dans cette chute inconsciente, il entraînait avec lui la partenaire amoureuse. Il savait à quel moment tirer la commande d'ouverture de la toile et retomber sur ses pieds. La Bien-Aimée continuait à tomber, sans parachute !

Anaïs avait, comme lui, ce parachute invisible. Elle cherchait l'amour là où il se terre, là où il s'exprime et là où il se partage dans la vie très proche de la mort. Elle ouvrait les portes dans l'intimité de la nature. Elle savait qu'elle avait des gestes à faire, sur la route de cet homme, pour ouvrir le chemin entre le sexe et le cœur, pour pointer l'autre dimension dans la sexualité et lui permettre de reconnaître l'essence du féminin. Pour faire le voyage, Georges avait le vécu, mais il restait à nettoyer ce qui restait encore de dépendance affective. Les relations existent pour éveiller la conscience, débusquer l'ego et transformer la blessure.

Anaïs lui pointait chaque action inconsciente pour lui montrer les répercussions et les conséquences désagréables dans la réalité. Elle lui retournait le miroir, avec dureté, sans concession, pour regarder ses défaillances et lui permettre de toucher encore plus son humanité. Georges commençait à devenir plus humain, mais le chemin était loin d'être terminé. Indéniablement, le destin qui a permis la rencontre et le retour de l'Himalaya est intelligent. Anaïs sait qu'à partir de ce moment, elle aura à le conduire dans de nouveaux espaces pour visiter l'ombre, pour amener l'équilibre. La vie leur accorde une nouvelle étape. Et cette fois, ce sera ici au Québec, au plus profond de la nature sauvage !

Anaïs sent Georges vivant dans sa force et son courage, au cœur de la rencontre avec elle. À chaque retour, elle retrouve une nouvelle personne énergétique. Le fil conducteur est toujours présent, mais l'espace change, comme si elle rencontrait un inconnu. Émue, elle le regarde qui émerge dans une nouvelle dimension de l'amour.

— Dis-moi, es-tu monté assez haut pour toucher le ciel ?

— Oui, répond-il, et j'ai aussi touché le vide. Je rentre de ce voyage avec un tel espace en moi et un regard plus lucide sur le chemin parcouru. Notre rencontre n'aurait pu avoir lieu si je n'avais pas été prêt. L'arrêt sur image professionnel, la distance prise à tout ce qui m'entourait et la solitude étaient de bons alliés pour préparer la rencontre. Avec le recul, cela me semble évident aujourd'hui. En te rencontrant, je compris, même si cela se fit en deux temps, que l'accélération du changement entamé seul était en face de moi. Pour un expert, cela aurait été le comble de ne pas le repérer ! Le miroir puissant et déclencheur était là. Ne pas te rappeler à mon retour m'aurait empêché tout simplement d'apprendre sur moi et de plonger au cœur de la blessure. J'ai vu alors la fin de la lune de miel. J'ai senti que les choses ne se passeraient pas selon un schéma connu. Il est vrai que jusqu'alors, je faisais en sorte que les choses se passent comme je le projetais. Une bonne partie de ma vie, je me suis organisé, avec succès, pour ne pas dépendre de quelqu'un ou de quelque chose. Et j'ai construit seul, tout en étant attentif aux autres. La liberté était importante. Hors de cet espace, je m'ennuyais et je partais. Organiser, piloter, gérer étaient mes forces, d'autant plus nécessaires que j'étais seul. J'étais le prototype même de l'auto-management. J'en avais toute la capacité et toute la puissance. Je me sentais, avec arrogance, surentraîné pour des relations normales. J'ai donc, et à tort, utilisé mes compétences pour aider l'autre à se développer afin que je puisse le rencontrer sur un terrain satisfaisant pour moi. Je nourrissais l'autre, mais en m'asséchant. Aujourd'hui, je me nourris davantage dans la rencontre. Mais je ressens que j'ai encore à accepter et à être vigilant.

Anaïs aime ce qu'elle entend et est touchée par ces propos.

– Quand tu t'ouvres, tu es une boîte à surprises ! ajoute-t-elle. Accepte de prendre plus de place dans la relation. Prends l'entièreté de ce qui est disponible, rien n'oblige à ce que tout soit parfait. La qualité de ton écoute et ton ajustement à l'autre sont faciles pour toi. En nommant, les autres auront à s'ajuster à toi de plus en plus et tu vas devoir l'accepter. Pour cela, décide de mettre de côté ta tête. Quand tu en as besoin, il suffit de l'appeler. Elle sera au rendez-vous sans effort. C'est ta force !

Georges vibre aux propos d'Anaïs. Il sent que durant ces quinze dernières années, son parcours professionnel l'a amené, par choix personnel, à côtoyer l'intelligence, celle sanctionnée par les titres universitaires. Le monde scientifique, même s'il n'en faisait pas partie, n'avait plus de secret pour lui. Il était intervenu au plus haut niveau dans tous les domaines de l'activité humaine et son expertise reconnue était celle du changement. À force de développer ses savoir-être et savoir-faire sur le champ de l'humain, il en avait perdu la simplicité. Il sent qu'il a à revenir à l'humilité. Celle qui caractérise celui qui est dépourvu d'orgueil en étant conscient de ses limites et qui les reconnaît. Celle qui demande d'accepter d'être simplement vulnérable.

Aujourd'hui, Georges a trouvé l'aiguille qui répare le cœur et permet à Anaïs de faire la paix avec les hommes rencontrés, d'honorer le chemin parcouru avec eux. Ils sont un et ont le visage du Bien-Aimé. Une boucle se ferme dans la joie du retour. Elle respire le parfum de l'amour. Le cœur apaisé, Anaïs regarde Georges en silence. Ce dernier est troublé par son regard intense. Quelque chose l'interpelle, il ne peut encore y mettre des mots. Tel un chevreuil qui sent un danger, il ne tient plus en place. Au bout de quelques instants, Georges fait un léger saut et se redresse hors de son siège. Va-t-il bondir plus loin ou fuir ? Anaïs regarde la scène sereinement. Il se rapproche d'elle et lui demande de se lever. Il l'invite à rester face à lui en partage de ce regard. Au bout de quelques minutes, il lui dit :

– Ton regard est venu me chercher profondément. J'ai vu
le regard désirant de ma mère. J'étais face à son désir. J'ai
conscience que l'essence de notre relation est dans le feu de

l'amour et non celui du désir. La force de ce miroir au travers de ton regard m'a projeté au plus profond de ma blessure.

Chapitre 3

À l'orée du rêve, un pont suspendu enjambe les étoiles et se balance dans le vide. La seule rencontre possible est dans l'invisible et l'indicible. La seule rencontre possible est dans l'amour. Un pont suspendu enjambe les étoiles et se balance dans le silence, l'immensité sépare et unit. Anaïs danse nue sous les étoiles, les pieds brûlants sur le sable des déserts et la braise allumée d'un feu qui ne s'éteint plus. Elle danse ivre au fond des océans lorsque l'amour l'engloutit, immobile dans la profondeur du regard du Bien-Aimé. Qu'elle s'appelle Shakti, Chamma, Durga, Kali, la Déesse est bien vivante, la magie aussi. Elle est, une fois de plus, au rendez-vous pour explorer de nouveaux territoires, dans l'espace inconditionnel de l'amour. La Shakti danse dans le sauvage et le cru à la rencontre de l'ombre et la lumière. La Shakti danse dans le vide avec la mort, avec la vie. La Shakti danse dans l'immobilité de l'instant, sexe et cœur connectés, elle ouvre le chemin.

Anaïs sent depuis le début le potentiel de Georges. L'énergie existe, mais un doute subsiste dans son esprit. Sera-t-il capable de prendre l'intensité de la Déesse ? Son rêve prémonitoire le lui a annoncé et la connexion est évidente. Mais la réponse revêt, à ses yeux, une importance capitale pour la suite. Comment entrer dans cette intensité-là ? se demande-t-elle.

La vie offre une fois de plus l'occasion de vivre l'expérience nécessaire au passage. Georges et Anaïs sont invités à passer quelques jours en Arizona chez des amis. Ils rassemblent leurs bagages, prennent un vol et arrivent quelques heures plus tard à Phoenix. Anaïs connaît la destination. Elle y a séjourné à plusieurs reprises et se souvient de quêtes de vision mémorables dans le Grand Canyon. Ils saluent rapidement leurs amis, prennent une douche sommaire et partent explorer un lieu qu'Anaïs souhaite faire découvrir à Georges. Katherine, leur guide amérindienne, les conduit dans le désert proche à bord d'une veille voiture. Rafistolée, rouillée, elle crache de l'huile et relâche un nuage de fumée à chaque accélération.

Tous deux aiment le transport précaire. Ils ouvrent les fenêtres pour ne pas être asphyxiés. À travers les trous du plancher, ils voient la route défiler sous leurs pieds. Ils sourient, l'aventure commence. Anaïs prend la main de Georges pour marquer le point de départ du voyage dans le silence. La conductrice complice observe et respecte cet espace. Elle fait corps avec son véhicule et la route : une ligne droite traverse le désert. Le vent chaud emporte les amas de broussailles roulants. Sans destination, ils obéissent au souffle du vent. Georges soupire : sa vie échappe à son contrôle. La destination est pour lui aussi inconnue. Il dépose sa main dans celle d'Anaïs et s'ouvre à la douceur, dans la contemplation du chemin intérieur. La rudesse du paysage est grandiose. Les formations rocheuses rouges prennent vie dans ce relief de couleur ocre, dans l'ombre et la lumière du soleil qui se déplace. Les roches se dressent comme les gardiens immuables, les ancêtres témoins de la naissance du monde. Il sent dans la densité des pierres la mémoire conservée. Au même moment, Anaïs le regarde et lui dit :

– Tu entendras un jour ces roches te parler et tu retrouveras ton cœur d'enfant et sa capacité d'émerveillement. Tu apprendras d'elles.

Dans un crissement de pneus, la voiture vient de prendre un virage brusque. Elle quitte la route principale pour rejoindre une piste. La surprise projette les passagers l'un contre l'autre. La conductrice rit aux éclats. Entre les émanations de gaz et la poussière qui s'engouffrent par les fenêtres, l'air est irrespirable. Heureusement, le trajet est court. La voiture s'immobilise sur une aire de stationnement. Un véhicule tout-terrain les attend, le nièce de Katherine, son apprentie également. Un foulard bandana serré autour de la tête, la jeune Amérindienne est adossée au véhicule. Derrière ses lunettes noires cerclées d'argent, elle observe. Georges et Anaïs attendent d'être invités par un geste de la main à l'ouverture du territoire. L'accueil est simple, direct : des regards échangés, quelques mots de bienvenue, une main déposée sur le cœur.

Katherine, femme opulente, généreuse et fière, se tient debout, digne comme les roches du désert. Elle a reçu de sa grand-mère, femme médecine, l'histoire de sa tribu et les chants sacrés. À son tour, elle a pris sous son aile sa nièce douée en médiumnité pour perpétuer la tradition matriarcale. Elle est heureuse de présenter sa protégée qui est guide dans le désert. Georges et Anaïs s'installent dans le véhicule tout-terrain en route vers la destination surprise. Le soleil descend déjà, la route cahoteuse les mène sur un territoire sacré, propriété de la famille depuis des lunes. Anaïs reconnaît l'endroit. Elle enlève ses chaussures : mettre le pied sur ces contrées protégées et s'aventurer sur une terre vierge préservée depuis le commencement, impossible de franchir la porte du jardin de l'éden avec des souliers ! Une paroi rocheuse rouge semi-circulaire délimite l'espace. En son centre, par un trou béant, une rivière souterraine jaillit de la roche en cascade. À travers les âges, l'eau a creusé des bassins et des marmites géantes assez profondes pour perdre pied. La magie du lieu impose le silence.

Katherine et sa nièce préparent un Feu sacré cérémoniel pour se relier au divin et en amplifier la connexion. Par sa force, il manifeste à l'extérieur ce qui est à l'intérieur de soi. Les pierres disposées en cercle pointent les quatre directions, ouvrant sur quatre espaces distincts. Une fois allumé, il est interconnecté avec l'ensemble des feux sacrés sur la Terre Mère et avec tous les peuples qui prient depuis leur cœur. Georges a remis à Katherine ses tambours, il sait que le Feu sacré aime leurs sons pour ancrer les prières et les chants. Georges appelle les quatre directions avec sa flûte. L'acoustique, dans cet espace désertique, résonne de façon magique.

Georges et Anaïs, sous les regards discrets et complices de Katherine et sa nièce, décident de rejoindre le sommet des bassins. L'eau est fluide et s'écoule de l'un à l'autre, du plus haut au plus bas, en épousant toutes les formes rencontrées sans jamais les contrarier. L'eau suit son cours naturellement et s'abandonne. Elle est l'emblème universel de la fécondité, de la fertilité, de la sagesse et de la grâce. Anaïs, en amenant Georges à cet endroit reculé et sacré, souhaite l'initier à la force féminine de la nature de l'eau, le rendre plus sensible au féminin. Les neuf bassins organisés en cascade symbolisent les neuf étapes naturelles qui conduisent à la conscience. Pour les découvrir, il suffit de se laisser glisser de bassin en bassin en acceptant de suivre le courant.

Sous la chaleur torride, Georges et Anaïs se déshabillent et prennent place dans le premier bassin, un peu comme dans la piscine du temple d'Akbar face au Taj Mahal. Georges s'assied et ferme les yeux. Ce premier bassin est aussi le lieu du centre racine, le berceau où se love le serpent endormi de la Kundalini. Logée dans l'os sacrum, cette puissante énergie vitale remonte le long de la colonne vertébrale pour arriver au sommet du crâne en progressant le long des sept chakras.

Anaïs propose à Georges d'inspirer à partir de cet endroit. Elle l'invite à sentir l'air pénétrer à l'inspiration et à lâcher prise à l'expiration. Son pelvis bascule d'arrière en avant et crée une ondulation du corps qui éveille les premières sensations de plaisir mélangées à une peur sournoise qui cherche à juguler le mouvement de vie dans son ventre. Une hésitation le garde en équilibre précaire : il se rend compte que le moment est venu de choisir entre la sécurité et l'inconnu. Le bassin invite à accueillir le doute, à l'accepter. Entre la peur et le plaisir, il avait choisi, mais il profite de cet instant pour regarder le parcours accompli. Il reste un long moment à sentir, juste à regarder en témoin l'endroit dans ses tripes où est le nœud qui l'empêche de toucher sa vulnérabilité et de s'abandonner au plaisir. Les muscles d'acier avaient bien protégé l'espace fragile. Autant il avait le désir ardent de plonger, autant il avait appris à retenir son plaisir pour rester en contrôle et ne pas être submergé. Après avoir ouvert les yeux, Georges et Anaïs prennent le temps de reprendre contact. Elle l'invite à descendre les roches rougeâtres et ils se dirigent vers la prochaine étape.

Quelques araignées attirent l'attention de Georges. Ces patientes chasseresses trouvent refuge sur les fils argentés de leurs toiles tendues avec souplesse entre les buissons qui bordent le second bassin. La deuxième cuvette symbolise la confirmation du chemin. Cet endroit porte l'énergie du chakra sexuel, là où s'érige la puissance pénétrante masculine. Intrigué, son regard persistant revient vers les araignées. Il se souvient que cet animal représente l'énergie féminine de la force créatrice, celle qui tisse dans sa toile les beaux destins et prodigue l'abondance et la joie. La présence des araignées vient valider le pressentiment du départ. Anaïs suit son regard et sourit.

Georges sait aussi que l'araignée s'apparente au côté négatif de la femme, cette partie d'elle qui peut dévorer son partenaire lorsqu'elle ne reconnaît pas son masculin. Il respire à partir de son sexe, les pieds dans l'eau du bassin, nu devant l'éternel. Il goûte à la grande fragilité qui l'envahit et le rend vulnérable : homme-enfant, à peine sorti des eaux, il cherche la force d'incarner son rêve. Le poids de sa tête ne pèse plus sur ses épaules, le souffle chaud du vent le rassure et lui donne confiance. Il reçoit une nouvelle fois la confirmation de son chemin.

Anaïs, le corps immergé, flotte immobile, puis plonge soudainement au fond du bassin. Elle surgit avec élan et, dans un souffle déchaîné, crache en pluie une gorgée d'eau. Le mouvement imprévisible et la sauvagerie du geste visent avec précision le cœur de Georges. Il libère instinctivement un grand cri, celui figé dans son refus de naître. Sa poitrine s'ouvre à la douleur prisonnière, l'enfant vient de retrouver sa voix. L'écho brise le grand silence du canyon. Anaïs plonge une seconde fois. Georges, encore sous l'effet du premier coup, ne peut se protéger du deuxième. Cette fois-ci, il le reçoit en plein ventre. Le choc ouvre une brèche dans les muscles d'acier, libérant la peur et la puissance de sa rage. Le nœud qui emprisonne son énergie de vie vient de se défaire. Anaïs, haletante, s'agenouille et dépose sa joue sur le ventre de Georges. Elle accompagne sa respiration, les deux mains appuyées fermement sur son sacrum. D'arrière en avant, elle encourage le mouvement de son bassin, l'invitant à rejoindre la profondeur océanique du plaisir dans la douceur, et à accepter cette chaleur désarmante qui prend la place du contrôle. Il s'abandonne avec confiance. Il se laisse glisser dans l'eau. Elle le berce, le soutient avec ses bras dans la tiédeur de l'eau et lui parle d'une voix tendre mêlée au clapotis. Il accepte de recevoir et d'être touché par le féminin, sans avoir à performer.

Après ce moment béni, ils se laissent glisser comme sur un toboggan vers le troisième bassin, retrouvant leurs sensations d'enfance. Ils s'éclaboussent à profusion et éclatent de rire. Dans la légèreté, ils s'installent dans cette nouvelle cuvette en créant des remous. Les corps s'abandonnent à la vitalité débordante qui les habitent, les rires jaillissent en cascade. Le silence survient lorsque passe l'ombre de charognards à l'affût au-dessus de leurs têtes. La nouvelle cuvette les invite à regarder le miroir de l'ombre dans les eaux du bassin. Le temps est venu de plonger. Le bassin, semblable à une marmite géante, est profond. Dans sa ténacité et sa force, l'eau a érodé la pierre pour la creuser. Georges s'immerge dans un tourbillon pour sentir la force de l'ombre qui lui permettra de plonger dans son inconscient.

Aspiré par l'eau, il se retrouve accroupi au fond. L'eau l'expulse hors du tourbillon, le propulsant à la surface où il reprend de l'air. Il sent dans son ventre la peur de rencontrer l'ombre et de s'y noyer. Il a peur de perdre pied et l'élan qui lui a toujours permis de rebondir. S'il n'y a plus rien sous ses pieds, sur quoi peut-il s'appuyer ? S'il est aspiré par le vide, peut-il se relever ? Il se retourne vers Anaïs, se purifie par quelques ablutions et, l'espace d'un regard, disparaît à nouveau dans les profondeurs. En contact avec la source, il se sent léger. L'eau est douce et le reflet de la surface apporte une lumière ondulante. Il rejoint en deux mouvements de brasse l'air libre. Il goûte l'eau ruisselante qui s'écoule du sommet de sa tête sur le reste de son corps avec une sensation de bénédiction. À cet instant, des coyotes courent sur la droite du bassin. Comme un flash, l'image s'imprime dans sa tête. Georges observe ces maîtres de l'illusion qui tombent régulièrement dans leurs propres pièges. Ils lui apprennent aussi qu'il ne faut pas avoir peur de se retrouver dans des situations difficiles. Plonger dans l'ombre, certes, mais savoir rire de soi pour en sortir vainqueur, accepter sa folie pour l'exorciser.

Sur le rebord du quatrième bassin, Georges voit un serpent et fait un bon de côté. Anaïs le rassure sur sa nature non venimeuse, c'est une couleuvre. Quel est le signe ? se demande-t-il. Anaïs, fascinée, l'invite à saisir la couleuvre comme il le faisait enfant. Georges n'est plus tout à fait sûr de pouvoir répéter ce geste. Il regarde la couleuvre à la recherche d'un batracien dans ce milieu aquatique. L'animal sent la proximité d'une proie, immobile, à l'affût. Georges décide de risquer et attend le moment propice pour la saisir. Soudain, le geste instinctif prend possession de son bras et la couleuvre s'enroule autour de son poignet. Il tente de la rassurer en faisant le calme à l'intérieur de lui. À travers sa respiration, l'animal lâche peu à peu sa résistance et accepte le contact.

Anaïs, offrant sa poitrine, lui demande de le déposer sur son cœur. « J'aime les serpents et ils m'aiment aussi », lui dit-elle. Elle est allongée au soleil, sur le bord du bassin, le corps déposé sur la roche chaude. Elle attend le cadeau ondulant. Georges dépose délicatement la couleuvre au centre de la poitrine d'Anaïs. Il laisse l'animal se déployer librement. Elle glisse sur le corps d'Anaïs, soudée à sa peau. Redressant sa tête pour explorer le nouveau territoire, elle se love avec une exactitude déconcertante entre les deux seins de la Déesse. La couleuvre se dépose, impassible, à l'endroit exact du chakra du cœur. Anaïs, radieuse, s'abandonne à la chaleur qui émane de son cœur. Elle ressent la pulsation d'amour entre elle et le serpent endormi. Georges observe, touché par la grâce de ce contact.

Dans l'espace du temps éternel, il se glisse alors dans le bassin. Il comprend qu'il lui faut aussi mourir aux illusions. Le serpent pointe l'habileté d'expérimenter volontairement, sans résistance. Georges a un pas à faire vers l'acceptation, abandonner même l'espoir. Un vent de changement balaye sa vie. Il ressent l'inconfort de quitter la vieille structure et la nécessité de faire peau neuve pour s'ouvrir. Anaïs, dans son ancrage sauvage, est un miroir fort du féminin qu'il a repoussé, de cet instinct qu'il essaie de juguler en voulant contrôler. Elle le rapproche de lui et l'éloigne de son image, celle qu'il avait forgée pour éviter de ressentir la blessure. Il n'a plus le choix. Anaïs dépose la couleuvre, puis plonge et ressurgit devant lui. Elle caresse sa tête et ses cheveux, décrochant les fils de ses pensées. La douceur le conduit vers la mort. Il ne sait pas que la mort peut être douce et sensuelle. Pour qu'il comprenne mieux la nature de ce chemin, Anaïs colle son corps contre le sien et vibre des pieds à la tête. Il reçoit dans son ventre la puissance de ce tremblement qui ébranle ses fondations. La roche frémit sous ses pieds, il prend appui sur la terre.

Le cinquième bassin est une cuvette ronde et profonde. L'eau tombe en cascade d'un promontoire rocheux. À sa base, l'érosion a créé des bancs parfaits permettant de s'asseoir à l'aise, à fleur d'eau, et de recevoir un massage vigoureux. Anaïs se réjouit de cet espace invitant. Assise, elle reçoit l'eau sur ses épaules et elle offre son corps à la chute. Georges préfère s'avancer dans le bassin d'où il la regarde jouer dans l'eau. Elle lui tourne le dos, les mains ouvertes, offertes, elle reçoit la force du courant. « Retourne-toi Georges, regarde en face de toi », lui dit-elle. Elle veut attirer son attention sur une faille dans la falaise. Il lève les yeux et aperçoit un trou béant dans la roche. Il sourit parce qu'il y voit le sourire d'un sexe de femme, un gracieux sourire de contentement. Une porte s'ouvre pour lui à travers cette étrange perception. Il découvre une autre dimension du sexe féminin. Il tente d'imaginer où Anaïs veut en venir. « Cette fente s'appelle le trou de la serrure », précise-t-elle. Elle ajoute, dans un souffle, « Dieu en a la clef » et elle clôt les paupières. Le cri d'un oiseau déchire le silence. Georges s'avance les mains ouvertes en acceptant de ne pas savoir. Il a perdu ses points de repères.

Dans le sixième bassin, Georges se laisse flotter, le regard tourné vers le ciel. Il observe la danse des aigles qui tournoient et montent de plus en plus haut vers la lumière du soleil. Ils planent en déployant l'envergure de leurs ailes sans effort, suivant les courants d'air ascendants et descendants. Il remarque l'aisance du mouvement sans lutte ni résistance, porté par le vent. Il voit la force déployée dans la douceur.

Aura-t-il la force de déployer ses ailes ? L'appel est ressenti à travers tout son corps, cet élan vers la lumière pour voir à partir des hauteurs. Les aigles sont loin, il envie leur légèreté et cet œil perçant qui voit. Il comprend qu'il faut regarder vers les hautes sphères pour apprendre à aimer l'ombre aussi bien que la lumière et observer l'ensemble de la vie avec hauteur. Georges se dirige vers Anaïs, se rapproche de son corps. Il veut la sentir. Il se dépose sur sa poitrine cosmique et se met à chanter en écoutant le bruit de l'eau s'écouler de bassin en bassin. Il pivote et rejoint à nouveau les aigles avec le regard du troisième oeil.

Georges aime la sensation de cette eau qui le transporte vers le septième bassin. Il se relève et découvre Anaïs à cheval sur une roche fendue. L'eau semble jaillir de son sexe. Devenue femme rivière, elle maîtrise le courant entre ses cuisses. Georges se laisse glisser dans la découverte de l'amour en toute liberté. « Il te fallait rencontrer une femme impénétrable et impénétrée pour que s'ouvre la porte ailleurs. Il s'agit d'un chemin peu fréquenté qui demande juste de se promener dans la beauté, sans attentes et sans illusions. Il demande d'honorer le féminin et de communier à son essence. Les rencontres que l'on y fait sont sans communes mesures ! » lui dit-elle.

Anaïs s'allonge au fond du huitième bassin, le buste légèrement relevé. À son invitation, Georges s'assied face à elle. Elle lui propose de ressentir la finesse du mouvement de l'énergie dans son corps. Elle lui demande de s'ouvrir au mouvement ascendant et descendant de sa respiration. Georges pénètre au plus profond de lui-même. En contact avec la fluidité de l'eau sur son corps, il sent une rivière intérieure porter ses larmes et sa sensibilité. Il ressent alors dans son cœur toute la puissance de son amour endigué. Anaïs lui demande de se placer entre ses jambes, là où l'eau jaillit. Il offre sa poitrine et sa douleur à la puissance guérissante de l'eau. Il ouvre grand les bras, en direction de la lumière du soleil, pour appeler la guérison avec la force retenue dans son cœur. La plaie ouverte laisse échapper un sang noir emporté par le courant. Georges pleure comme un enfant toutes les larmes de la trahison. Il aime la sensation de vague qui monte et descend avec la respiration. Il entend Anaïs faire quelques mouvements dans l'eau. Il ouvre doucement les yeux dans sa direction et la découvre les jambes écartées, le sexe ouvert. Il s'allonge sur le dos pour recevoir l'eau vivifiante qui coule du sexe de la Déesse. Cette eau scintillante entre par le sommet de sa tête et tourbillonne dans son cœur. Un courant d'amour et de lumière le traverse, pénétrant son sexe jusqu'à la racine. Il s'abandonne dans la rivière de la vie. Il goûte à sa sensibilité qui pétille à l'intérieur. Il ferme les yeux, les bras croisés. Georges voit deux ailes d'aigle qui le protègent avec douceur, l'eau glisse sur les plumes. Il disparaît de la surface et s'immerge totalement. Il veut sentir cet appel du vide et la nécessaire disparition de son ego.

Une pause est nécessaire avant d'atteindre le neuvième bassin. Georges ferme les yeux. Le glissement vers la cuvette se fait à peine sentir. Le passage est naturel et ne demande aucun effort. Arrivé en bas, il célèbre la rencontre de la Bien-Aimée avec le Bien-Aimé. C'est l'endroit du rendez-vous ! Au cœur de l'union, le féminin et le masculin réconciliés dansent en harmonie. La voie royale est exigeante. Elle demande l'engagement du cœur dans sa totalité. Le feu est manifeste et radie dans la présence.

Ce voyage dans les bassins en contact avec cette eau, source de vie, purifiante et régénérante, les rend énergétiques au plus haut point. Ils regagnent en silence, dans la tendresse, Katherine et sa nièce qui ont chanté, battu le tambour et entretenu le Feu sacré durant le rituel. L'accueil est émouvant. Georges ressent beaucoup de gratitude pour ces trois femmes qui l'ont accompagné chacune à leur façon. Ils se placent chacun dans une direction autour du cercle sacré délimité par le feu et restent silencieux. Georges prend le tambour et le fait résonner avec un tempo identique au battement du cœur. Il chante et les sons émis montent vers le ciel en suivant la colonne de fumée. Il remet à Katherine et à sa nièce des cadeaux du Québec pour leur témoigner sa profonde reconnaissance. Il sait que ce premier pas de purification avec l'eau prépare à la nuit.

Le retour pour rejoindre la résidence de leurs amis avant la tombée de la nuit n'a plus la même saveur. Georges laisse aller sa tête en arrière et la repose sur le rebord de la banquette. Il revoit le serpent, les aigles, les araignées, les coyotes. Il entend encore le bruit de l'eau s'écouler de bassin en bassin. Il tourne la tête et regarde Anaïs légèrement assoupie. À travers la vraie nature du féminin, elle vit dans le temps éternel, dans un temps sans commencement ni fin. Elle lui demande, sans mots dire, de découvrir les multiples visages de la Déesse qu'elle est et lui montre comment les intégrer dans l'amour pour ouvrir la porte. La poussière entrant par les fenêtres, Georges sort de sa médiation. Anaïs se réveille et le regarde.

— Le chemin vaut la peine d'être parcouru et la joie est grande
   d'être en résonance, lui confie-t-elle. Tu déposes une graine
   dans la conscience, un jour elle fleurit. Le cœur est alors
   content lorsqu'il peut voir la fleur et sentir le parfum !
   Réjouis-toi du parfum, de la peine et de la joie. Réjouis-toi
   du chemin escarpé qui conduit aux nuages blancs. Je me

réjouis de sentir ta main qui se tend au bord de l'abîme. Elle m'aide à ouvrir mes ailes, à ne pas avoir peur de plonger. Elle m'aide à reprendre mon souffle, à respirer un vent de liberté pour remonter en altitude. Ton regard me donne de la force.

Après l'eau, l'air et le feu du rituel, Georges a rendez-vous avec un autre Feu sacré. Comme l'eau, il possède la vertu symbolique de purification, même s'il ne lui résiste pas. Georges met tout son cœur et toute son énergie à préparer l'espace pour le passage de la nuit. Il crée les conditions et tend le décor pour en faire un grand feu de joie.

Autour du foyer, le groupe d'amis se joint à eux pour célébrer le repas de retrouvailles. Georges allume le feu dans les quatre directions en commençant par l'Est. Il adresse quelques prières et dépose des offrandes pour remercier la vie du cadeau qu'elle offre de nouveau. Il honore les coyotes, les araignées, les aigles et le serpent pour l'enseignement prodigué. L'arrogance nous fait perdre de vue que nous avons à nous incliner face à la mort, à la maladie, à la solitude, à la perte de repères. Cette nuit donne l'occasion aux membres du cercle de porter un regard nouveau sur leur vie et surtout d'arrêter d'être aveuglé par l'illusion. À force de vouloir briller au soleil, nous contribuons à la superficialité et à la fermeture de ce qui est essentiel : notre cœur ! Anaïs observe Georges depuis quelques instants :

– Ton cœur s'enflamme-t-il ? lui demande-t-elle. Le mien est en feu. Un feu qui me dévore déjà ! Tu me tues ! J'adore le feu qui me dévore ! Je t'ai choisi pour ton envergure dans ces deux dimensions. Déploie tes ailes, je peux soutenir sans broncher : sois ivre du féminin ! Dans l'ivresse d'amour, je te recevrai. Tu connais le chemin, il est inscrit en toi.

La mémoire s'avive hors du temps, dans l'espace vide. La mémoire vit lorsque le feu s'allume. Alors le corps se souvient qu'il est énergie.

Georges ressent toute la puissance de ces mots. Ce voyage l'emmène dans de nouveaux espaces. Il a rendez-vous une fois de plus avec lui. C'est dans l'émergence qu'est le chemin, dans la pratique et il n'y a rien d'autre. La rencontre a lieu ou pas ! L'homme et la femme ont un grand pouvoir guérisseur. Quand ils se rencontrent dans l'énergie d'amour, l'éveil est mutuel. L'énergie masculine se fond alors dans l'énergie féminine et toutes les dualités cessent. Cette union permet et rend possible de briller avec toute la splendeur de son intuition retrouvée.

– Je plonge aussi totalement dans l'inconnu, comme toi, ajoute Anaïs. Et quand ce voyage se fait à deux, c'est encore plus fort. Je sens que cette nuit autour de ce feu dont tu prends soin va nous permettre d'entrer dans une autre dimension.

Une ambiance méditative et légère règne. Enroulés dans des couvertures pour se protéger du froid qui vient de les rejoindre, Georges et Anaïs décident de prendre un thé d'herbes particulier. Des sons de flûte, des tambours et des percussions accompagnent le début de cette veillée. En très peu de temps, les voilà tous plongés dans un espace de lâcher-prise et de partage. Georges est proche d'Anaïs, allongé sur le dos transversalement à son corps. Il dépose l'arrière de sa tête sur le ventre de la Déesse et fredonne quelques sons tandis que ses bras dessinent des arcs de cercle en pointant le ciel étoilé. Maintenant les jambes rejoignent la direction du ciel. Les quatre membres de son corps dans cette position, il retrouve les sensations du petit garçon en train de jouer dans l'espace. Son regard croise régulièrement celui d'Anaïs. Une plongée respective dans le vide intérieur qui emmène dans un espace loin des mots, juste la sensation du grand voyage.

Soudainement, Georges entend deux compagnons converser à sa droite. Le bruit généré par ces échanges l'interpelle. Plus que le contenu, c'est la vibration sonore qui le dérange. Dans une contorsion reptilienne, Georges se retourne sur Anaïs et lui demande, dans un éclat de rire, de quoi peuvent-ils donc parler. Qu'ont-ils à dire de si important en ce moment total de lâcher-prise ? Anaïs s'amuse de cette question et trouve la situation d'une cocasserie désarçonnante. Georges relaxe : il n'est pas dans ce désert, à cet instant, pour faire quoi que ce soit. Il aime sentir la douceur de sa respiration, animée par le mouvement de son corps, de ses jambes et de ses bras. Quant à Anaïs, elle l'accueille dans cet espace totalement extatique. Il dépose sa tête entre les cuisses d'Anaïs et il y reste une grande partie de la nuit. Le cœur s'ouvre, la connexion est magique, il se sent comme un dauphin nageant en eau chaude. Cela lui semble tellement naturel. Pourquoi avait-il oublié ?

Georges se relève subitement et s'approche du feu. Son relevé de corps félin surprend les quelques personnes proches de lui et tout particulièrement Anaïs. Georges peut bondir, changer de direction de manière surprenante et déroutante. Vous pouvez le perdre de vue dans un éclair, mais l'inverse n'est pas vrai. Connecté à son instinct, il écarte les jambes légèrement, le bassin à la verticale. Il enfonce les pieds dans le sable rouge pour mieux sentir l'ancrage dans la Terre Mère. Face au feu, à la limite de tomber au cœur du foyer, il écarte les bras, ferme les yeux et entame une danse sacrée avec lui. La danse amoureuse embrase son corps pour décupler sa puissance orgasmique. La musique est intérieure. Il fredonne, pousse des gémissements, balance son corps d'avant en arrière. Soudain, il sent le souffle du feu respirer en cadence avec lui, tel le mouvement d'une vague. Il ouvre les yeux et voit une grande flamme se diriger vers lui. Il ouvre la bouche, elle le pénètre. La sensation est forte et le surprend. Il repart en vague en refermant les yeux. La flamme continue son chemin dans le mouvement, il la laisse descendre jusqu'à son sexe. Le ventre ondule et un frisson remonte le long de sa colonne vertébrale. Il ouvre une nouvelle fois les yeux et reçoit en pleine face une déferlante multicolore. Georges entre en transe avec le feu et devient lui-même feu. Son corps se dissout dans le tremblement de la flamme. Il sent sa force aimantée ouvrir les portes et ne peut résister. La racine du feu est sexuelle. Dans la liberté de brûler, les flammes montent et purifient en libérant la force de l'amour.

Anaïs rejoint Georges dans la danse du feu. Il sent sa forte envie de le dévorer. Il pivote et l'accueille dans son ventre. Lorsque le feu est allumé, il brûle des pieds à la tête, réveillant cette soif inextinguible. Le feu doit monter pour s'intensifier. « J'aime m'annihiler à travers le baiser du dragon. Gardien du feu, tu as nourri le feu de la Shakti », lui souffle-t-elle à l'oreille.

Cette nuit est pour Georges un passage puissant dans la révélation du féminin. La synchronie de ce ballet magique dans la rencontre des corps nourrit une intensité guérissante. Il y a des moments où les mots sont nécessaires pour baliser et d'autres où juste la résonance du silence apporte la réponse qui coule de sens. Ces moments feutrés apparaissent comme des expériences sur la zone limite pour ouvrir dans l'autre dimension. D'un côté, il y a le mental et de l'autre la réalité pure du chemin. Au cours de ce passage, Anaïs découvre que Georges habite naturellement et instinctivement cet espace sans limite. Il est capable de prendre l'intensité de la Déesse. Elle comprend pourquoi il ne laisse jamais indifférent. Pourquoi cette totalité et cette intensité font réagir et sont difficiles à comprendre pour ceux qui le côtoient. Sous son déguisement occidental pragmatique, il fonctionne surtout au senti et à l'instinct. Cela déroute et fait peur ! Ce rendez-vous est pour elle le reflet qui lui permet d'en saisir le fil.

> — Pour partager avec toi la route vers la mort, j'aurai à faire des ronds dans l'eau et à créer des résonances multiples avec ce que nous vivons pour ouvrir la suite du chemin de guérison, lui déclare-t-elle. Sois attentif aux signes, aux endroits où tu dois te trouver ou non. Une partie de ton énergie dérange encore. Avec ce que tu portes, il faudra une grande sagesse pour continuer le chemin. Je t'invite à regarder la façon dont les grands chefs indiens sont présents. Tu as à apprendre d'eux l'humilité, la patience et la fierté de vieillir. Chez les Navarro, il existe un chaman qui marche à l'envers de tout le monde. Plus je te regarde, plus je sens que c'est ton chemin. Fais confiance à ton extrême sensibilité, il me semble qu'il est temps que le loup que tu es salive !

Le chemin se trace à travers l'énergie, évident, inexorable, exigeant aussi. Il appelle la présence sans compromis. Anaïs est prête et attend Georges. Il n'y a plus de temps à perdre, lui rappelle-t-elle régulièrement.

— Dans le monde des chamans, l'errance n'est pas permise. Il faut mériter ses plumes par des actions et des gestes concrets dans la bonne direction, au bon moment. Le sacrifice est grand. Les relations ordinaires ne peuvent plus être un refuge. Elles sont une entrave sur le chemin. Le chaman est libre comme l'air, comme le vent. Il ne s'attarde pas inutilement, il ne se laisse pas distraire de la voie. Le temps n'existe pas pour lui, il vit en dehors du temps. En soi, c'est l'enseignement le plus précieux qui soit. Le chaman goûte de l'intérieur à la perfection et n'essaie pas d'être parfait. Son travail ramène à la solitude, c'est le sens de la vie ! Marche sur ton chemin le cœur léger, en contact avec la beauté et la tranquillité du lac qui reflète le chemin des nuages blancs dans la profondeur de son eau. Grâce à ton œil d'aigle qui survole la vallée, parle-moi à partir de la hauteur ! De l'altitude dans toutes les dimensions, c'est ça que j'aime. Vole haut et laisse la terre toucher le ciel. Je la touche déjà, mais je trouve cela plus facile avec toi, surtout quand tu meurs et que tu reviens toujours un cran plus haut.

À son retour d'Arizona, Georges retrouve la solitude du lac. Il ressent de plus en plus au contact permanent avec Anaïs cette conscience intérieure appelée Soi. Il la reconnaît avec gratitude. Pour que cette conscience soit totale, il sait maintenant que l'empreinte du passé va devoir se dissoudre dans le moment présent, à l'endroit où le réel devient accessible. Il s'est retiré un long moment de sa vie sur ce lac, sans s'isoler pour autant, pour y plonger de manière totale, sans compromis. Aujourd'hui, il sait qu'il n'existe aucun raccourci ! La faille est toujours à la hauteur, elle demande d'oser la traverser et l'accepter en l'aimant. Il sait que pour danser, il y a un prix à payer.

Anaïs a le don de frotter l'ego de Georges pour qu'il prenne conscience de l'épaisseur de la couche. En le nourrissant, elle pointe la direction. Sa blessure l'a amené à se nourrir de signes de reconnaissance pour se construire et se protéger. Elle passe, avec subtilité, régulièrement par cette porte pour l'ébranler et le faire tomber. Elle sait qu'à cause de la faille, il a construit une belle bulle de protection. Et si Narcisse était moins beau, serait-il moins aimable ?

Georges découvre, au fil du temps écoulé, que le chemin entrepris le ramène à la solitude. Mais cette solitude est différente de celle qu'il a connue et recherchée auparavant. Plus le chemin se fait, moins les personnes de son entourage comprennent, plus elles ont peur ! Il ne nomme plus ce qui lui arrive : le regard qui a vu la mort effraie, le regard qui plonge dans le vide effraie, le regard de l'amour effraie, le regard qui éveille la passion effraie, mais il attire parce qu'il est différent. En choisissant le chemin spirituel, il décida de retourner au cœur de son propre devenir. Être directement le sujet de l'expérience plutôt que d'en être stupidement ou maladroitement l'effet.

L'enseignement d'Anaïs ne propose à Georges rien d'autre que d'apprendre à marcher dans la conscience, à regarder à l'intérieur et à redevenir humain. Lui apprendre que le bonheur n'est pas au bout du chemin mais le chemin lui-même. Lui apprendre à entrer en lui n'importe quand et n'importe où, un accès direct ! Son rôle n'est pas de lui tendre un miroir glorieux, mais simplement d'ouvrir son cœur à la reconnaissance de l'humain dans la grandeur, la souffrance, la force et la vulnérabilité. Il est de pointer sa propre nature orgasmique combinée à celle de l'existence, d'ouvrir la porte sur le jardin secret grâce à l'alchimie et à l'amour. L'âme ne peut désirer que l'expérience d'elle-même la plus élevée et la plus intégrale.

Anaïs aime partager avec Georges les enseignements de son Maître. Georges est sensible et conscient qu'Anaïs est le trait d'union vivant entre ce Maître et lui. Il est reconnaissant envers la vie de l'avoir placé à cet endroit privilégié. Il aime entendre les récits, les anecdotes et les témoignages inédits d'Anaïs.

– Écoute : « Vous devez vous souvenir que cela n'arrive pas seulement à cause de votre travail, c'est une Grâce ! Le travail crée une situation propice. Pour atteindre la Grâce, un dur labeur est nécessaire, mais ce qui est réel arrive par la Grâce. C'est un paradoxe difficile à comprendre ! Des millions de personnes ont perdu leur chemin à cause de ce paradoxe. »

Georges devine la force du message, mais n'en saisit pas toute la portée. Il sait que cela fait partie du voyage et que la réponse viendra au bon moment.

Dans ce cheminement avec Georges, Anaïs retrouve la connexion initiatique avec son Maître, avec la lignée, mais cette fois dans la liberté totale, sans structure, juste à travers un canal énergétique. Elle se souvient de s'être retrouvée aux pieds du Maître et du Bouddha, d'avoir déposé son front sur le sol pour recevoir sa bénédiction. Elle eut la sensation d'être née pour cet instant-là.

– Une joie immense prit la place de la souffrance dans mon cœur et dans mon corps, un torrent de lumière inonda mon âme, lui confie-t-elle. L'amour m'a pénétrée. À ce moment, j'ai goûté à la dimension mystique de l'amour, je ne pouvais plus revenir en arrière, sinon y consacrer ma vie et ma mort. Le chemin de mon âme venait de se révéler. Je n'étais plus en exil sur cette planète. Je venais de goûter à la dimension orgasmique de cette existence. Le Maître est mort, mais sa présence reste vivante. Elle allume le feu de l'amour infini. À cause de la racine de cet amour, si bien ancrée dans mon cœur, je le respire encore lorsque nous sommes ensemble au rendez-vous de l'âme, lorsque nous vibrons au diapason de la haute altitude de cet amour. J'ai porté seule le message à ce jour. Je découvre que te le transmettre et le porter à deux est une autre étape de ma vie. Il s'agit d'une initiation commune qui me permet de reprendre vie avec la force de la Shakti. À travers toi, Georges, quelque chose de guérisseur dans le masculin émerge. Je sens que tu vas ouvrir des portes !

Ses propos résonnent en lui. L'exil fait miroir ! Pourquoi a-t-il quitter l'Europe quelques années auparavant ? Pourquoi est-il arrivé sur cette terre canadienne ? Il se souvient, tout comme elle, de la cérémonie où il s'engagea à vivre dans la conscience. Les larmes remplissaient ses yeux et son cœur. Il avait senti aussi que la marche arrière était impossible, qu'un nouvel espace s'ouvrait à lui et qu'à partir de ce jour, rien ne serait plus comme avant.

Anaïs est surprise par la force de la structure de Georges et, le plus étonnant, par la façon qu'il a de la faire passer. Le cœur ne demande pas de repos. Il y a près de quatre ans, elle ressentait tellement l'ennui et la tristesse de s'être éloignée de cet espace. À travers leur rencontre, elle y replonge totalement !

– La griffe d'ours que tu m'as offerte, je la porte sur mon cœur. Elle me ramène dans le sanctuaire de la conscience, même à travers la douleur et les colères de l'ego qui résistent. Mon chemin en est un de dévotion et de passion, à la rencontre du Bien-Aimé, à sentir la soif inextinguible de l'âme. Dans cette présence, l'amour me consume, que souhaiter de plus : brûler sur les braises d'un amour ardent, ouverte à la chaleur de mille soleils.

Georges sent venir le moment de quitter Anaïs. Elle le perçut bien avant son intention de se lever et de le lui annoncer. Dans ces moments où Georges ramène l'espace temps dans un cadre, Anaïs aime réagir.

– Toi qui aimes les cadres, tu me fais souffrir ! J'aime ta manière de recadrer, mais j'aime aussi te décadrer !

Anaïs a le don particulier de le mettre sur orbite pour qu'il ne s'ennuie pas d'elle ! Ce jour-là, elle lui envoie une salve de questions qui allait l'occuper quelque temps avant la prochaine rencontre :

– Pourquoi a-t-il fallu que tu choisisses de venir vers moi ? Parce que tu voulais la meilleure ? Ton ego a choisi mais pas encore ton cœur ! Il est encore loin de moi pour jouer à cache-cache à ce point-là, pour te défiler. Que cherches-tu vraiment, toi qui passes et repasses devant la porte sans jamais t'arrêter, par peur de l'ouvrir et rencontrer le vide ? Que cherches-tu vraiment, toi qui fuit le temps précieux de la rencontre, alors que les heures égrènent le chapelet qui te rapproche de la mort ? Que cherches-tu vraiment ?

Georges retient sa respiration, se lève en pointant les bras vers le ciel pour s'étirer et salue Anaïs.

Chapitre 4

Georges sentait, tel un loup, les femmes en difficulté amoureuse. Il lui suffisait d'arriver et l'espace vacillait. Là était son trou noir, sa part d'ombre. Pourquoi était-il attiré par ces femmes ? Pourquoi les choisissait-il ? Quelles émotions éveillaient-elles chez lui ? Pourquoi recherchait-il l'amour là où il n'y en avait pas nécessairement ? Quel était le déclic inconscient qui l'amenait à s'y arrêter ? Anaïs venait, par ces questions, de retourner le miroir une nouvelle fois, sans concession.

– Aimer le féminin, cela ne signifie pas qu'aimer les femmes, lui dit-elle. J'ai à planter la flèche pour qu'elle entre dans ton cœur afin de pointer l'essentiel.

Il connaissait bien son histoire de vie. Le travail de développement personnel conséquent réalisé à ce jour lui permettait d'accéder aux réponses, mais savoir ne suffisait pas. Pourquoi s'arrêtait-il encore de temps à autre sur le chemin ? Qu'est-ce qui accrochait aujourd'hui encore dans l'inconscient ? Aller toucher l'ombre au plus profond de son être, voilà la suite du voyage ! L'instant de la plongée sans filet arriva.

Il est plus de seize heures, le jour prend fin, le soleil se couche sur le lac en cette veille de Noël. Anaïs et Georges préparent l'espace sacré pour vivre un rituel de passage. Ils tendent le décor pour ce rendez-vous hors du temps. Une réserve de bois suffisante pour le foyer, les peaux de loup et d'ours, la sauge, les ostensoirs et autres objets rituels, rien ne manque. Ils décident de vivre une nuit de réveillon nourrie de symboles ancestraux. Ils ont envie de transformer cette nuit en une réelle traversée du pont sur le vide et rendre possible l'aventure. Cela ramène Anaïs, bien des années en arrière, à la pratique de la magie sexuelle lors des solstices. Dans ces moments privilégiés, l'énergie orgasmique est dirigée dans toute sa puissance vers des buts élevés. Elle accroît l'égrégore d'amour à l'instant même où les portes du ciel s'ouvrent.

Georges allume le feu et, en bon gardien du rituel, pratique les offrandes. Les sons, les lumières, la force et l'énergie du feu les emmènent de suite dans un lâcher-prise total. Il danse avec le bâton de sagesse face aux flammes qui accompagnent son mouvement. Il le fait tournoyer comme un serpent et dépose la pointe sur son sexe. Dans un mouvement tribal, il bondit et tournoie tel un félin. Il ôte ses derniers vêtements. Anaïs, allongée face au feu, danse à même le sol les bras levés au ciel. Georges fait des sauts en suivant un cercle imaginaire. Les muscles puissants de ses jambes le propulsent dans toutes les directions de la pièce. Il est totalement dans son instinct sauvage. Anaïs le sent se rapprocher d'elle dans sa puissance. Elle observe le placement de son corps et la gestuelle de ses mains, sent sa vulnérabilité. En le regardant, elle retouche à cet espace qu'elle a quitté, quelques années auparavant, lorsqu'elle avait décidé de se retirer pour contempler le reste de sa vie. La rencontre avec Georges arriva au moment où elle avait pris la décision de disparaître. Elle regarde le sens à donner à ce coup du sort.

Sa réflexion est de courte durée car Georges saisit soudainement une tête de mort, la fait basculer dans le vide et plonge son regard dans les orbites. Grâce aux chandelles éclairant l'arrière du crâne, il pénètre avec détermination le regard de la mort. Ce moment d'une force extrême renverse Anaïs. Il est au rendez-vous instinctivement. Le guérisseur prend ses racines dans sa nature sauvage. Elle est prise à contre-pied. Une plongée totale entre la dissolution et le sauvage émerge au plein milieu de cette nuit de passage. Georges a gardé son goût du jeu et une pureté se dégage de sa manière d'appréhender le monde réel. Anaïs, le corps orgasmique dans la totalité de la verticalité, supporte Georges sur le chemin qu'il est en train de traverser. La stabilité dans cet espace sans limite est au centre. Cet équilibre du vide dans l'immensité de l'absolu permet le voyage dans cette nuit hors du temps. Anaïs est touchée par sa découverte. Georges se surprend lui-même. Elle lui demande de mettre son costume de samouraï. Dans une autre vie, Georges avait pratiqué cet art martial et en avait conservé les apparats. En formulant cette demande, elle le plonge au plus profond de sa blessure. Anaïs sent que tout peut basculer. La totalité du personnage, cet aspect de lui que rien ne retient, allait sans doute aider ! L'armure du samouraï était un de ses outils de séduction préféré, une sorte de coquille vide pour impressionner les femmes : le costume de l'homme fort, parfait, sûr de lui, imperturbable et détaché, l'image masculine de la force inébranlable.

Le regard dissimulé par le casque, la poitrine et le cœur protégés par la coque de bambou, Georges sent le regard attentif d'Anaïs. Il sait qu'elle l'attend.

— Pourquoi ce costume te va-t-il si bien ? lui demande-t-elle.

Il s'immobilise et se sent fragile. Anaïs lui propose de retirer un à un ses objets d'apparat et de sentir la mise à nu. Georges s'élance dans une danse puissante et sensuelle. Après quelques instants, elle devient plus lente et plus lascive. Il dépose en premier lieu le sabre, attentif à la symbolique de cet objet coupant qui garde à distance l'autre personne et qui invite à la prudence. Il sent qu'il abandonne le symbole de l'attaque, mais également celui de la défense. Déposer les armes, ne plus avoir à se battre, la résonance est forte. Il abandonne ses gants et se demande comment la main peut toucher, caresser, sentir avec cet attirail. Il prend le temps de déposer sa coque-armure de bambou, il veut sentir ce que signifie ouvrir son cœur, se rendre totalement vulnérable. Cela prend plusieurs tournoiements et allers-retours entre la terre et le ciel pour finalement dénouer les cordons bleus qui maintiennent l'armure sur son torse.

Anaïs insiste, lance des mots cinglants qui touchent Georges. Son cœur blessé est ébranlé et il n'a plus envie de danser. Il s'immobilise et reste quelques instants intériorisé, les yeux larmoyants. Il se dirige lentement vers le feu et se dépose sur le ventre d'Anaïs. Il ne peut contenir sa tristesse, les larmes descendent dans sa gorge et il respire difficilement. La flèche a transpercé au bon endroit. Anaïs, accueillante, l'entoure de ses bras. Ils restent un long moment dans cette étreinte. Les chakras connectés, ils respirent à partir du cœur et du sexe. Ils terminent la nuit dans un espace méditatif. Il y a des objets révélateurs pour supporter les moments clés. Anaïs se servit de l'objet inconscient du séducteur pour toucher l'espace et lui permettre d'ouvrir son cœur.

Le lendemain matin, Anaïs a le visage défait. Celui qui ressemble à une gueule de bois après une nuit bien arrosée de vodka polonaise.

– Je suis faite, dit-elle. Tu me tues !

Georges sourit, il sent la fatigue le gagner. Il vient de vivre un passage important. Le regard d'Anaïs s'assombrit. Le bleu de ses yeux prend la couleur d'une encre marine, elle tressaille :

> – J'ai peur pour toi. J'ai peur de ton cœur pur, de ton cœur qui s'ouvre de plus en plus. Tu fais le voyage spirituel dans un espace non protégé. Ce chemin, tu le fais dans la vraie vie.

Elle s'interrompt, hésite puis tranche :

> – À cet endroit, tu es bien plus exposé, mais te connaissant, je trouve que cela a du sens. En conscience, tu trouveras le point d'équilibre et la juste place dans l'expérience quotidienne. Te rends-tu compte de la chance de cette chimie qui nous lie dans l'équilibre féminin et masculin ? Le voyage ne pourrait avoir lieu autrement...

Anaïs respire, l'éclat lumineux de ses yeux perce la grisaille du matin d'hiver et transperce le cœur de Georges : une étoile cueillie dans la nuit vient de s'allumer, elle est l'étincelle vivante d'une force naissante. Georges ferme les yeux pour mieux la ressentir. Une douce chaleur envahit sa poitrine. Centré sur son cœur, il écoute Anaïs.

> – Cette chimie permet la confiance par-delà la blessure et la résistance du mental. Elle ouvre le chemin de l'extase. Ta présence me donne tout l'espace pour plonger. Sais-tu que chaque homme et chaque femme à travers l'amour partagé, celui qui se donne sans compter et se manifeste, deviennent une médecine vivante ?

Georges a trouvé cette nuit sa dimension de guérisseur. Anaïs peut s'abandonner et lâcher prise. Elle peut se laisser pénétrer par son amour et le pénétrer à son tour. Du masculin au féminin, la roue tourne et passe à travers eux, mue par l'amour. Ils deviennent maintenant interchangeables, chacun en équilibre dans leur force.

Georges se dirige vers le lac, s'assied sur un rocher au bord de la rive. Il respire l'odeur des pins et savoure toute la douceur émergente de cette nuit particulière. Les mots d'Anaïs résonnent dans sa tête. Il sent la force de l'eau et son pouvoir purificateur et repense au rituel des neufs bassins en Arizona. L'eau du lac reflète aussi l'ombre sans être troublée, l'accueille dans la profondeur d'un cœur libre de tout jugement. Ce cœur-là connaît la magie de la transformation. À son contact, l'ombre se dissout dans la conscience, elle s'évapore avec enchantement. Pour la première fois, elle voit l'ombre comme ombre devenir le miroir de l'ombre. La face cachée du Bouddha est dans l'ombre et de l'ombre jaillit le visage de lumière. Les images, la musique, la danse et le partage avec Anaïs cette nuit ont frappé au bon endroit. À travers son chemin, la mort est une magicienne du quotidien, dans l'amour ! Il n'y a plus qu'à regarder ce qu'elle a créé en laissant la joie du cœur s'épancher librement.

Anaïs reste seule, encore habitée par cette nuit où, ensemble, ils sont entrés dans un espace de dissolution. Cela m'oblige à être au rendez-vous, songe-t-elle. Elle a toujours cru que les hommes ne l'étaient pas ! Cette pensée réveille une tristesse lointaine et une peur viscérale : celle d'être trahie. En avançant, Georges l'emmène aussi au bord du vide. Elle se rend compte qu'elle aura à plonger pour permettre la suite du voyage : éclairer la part d'ombre pour compléter la boucle de guérison. Choisir Georges lui demande aussi de se choisir : éveiller le feu de la passion, risquer au lieu de freiner, oser et ne pas se retirer. Elle doit activer la même roue et prendre le même élan pour permettre la transformation. Elle connaît la nature du plongeon pour l'avoir déjà vécu, guidée par son Maître. Elle doit maintenant rouvrir la faille, revisiter ses enfers dans la conscience et reconnaître ses démons pour que Georges puisse libérer les siens et saisir la vraie nature du féminin. Elle a conscience de cette responsabilité d'ouvrir le passage en contactant sa trahison originelle pour transformer les poisons en miel.

Georges, de retour de son escapade lacustre, retrouve Anaïs méditative. Elle sourit et l'accueille du regard.

– Nous avons fait un tour de cercle qui a commencé par ton choix, inconscient, de défaire ton ancienne structure. Cela s'est accompli à travers le chemin intense parcouru ces dernières années. Tu y as mis du tien et la vie t'a généreusement aidé en précipitant les événements ! Tu as fait face avec courage et conscience. La mère est fière de toi, la grand-mère t'annonce que tu es prêt maintenant pour la suite. Tu as grandi et tu vas avoir à redonner à la vie. Tu as pris un coup de vieux ! N'aie pas peur de vieillir. La vieillesse est un chemin vers la liberté et le détachement. Mais ne brûle pas les étapes. La mort de l'ego est un bien grand mot. Humilité, expérience et simplicité sont nécessaires. Fais le chemin tranquillement et respire au rythme fabuleux du cœur. Souviens-toi que, dans l'Antiquité, le cœur était

considéré comme le siège de l'intelligence, de la mémoire
et des sensations. Cela demande la plus grande sensibilité.
Tu devras apprendre doucement à danser avec le corps de
lumière. À ce jour, il y a eu de petites ouvertures. Apprivoise
et pénètre, la porte est étroite ! Je ne peux que pointer la
direction.

Georges plonge son regard vert dans celui d'Anaïs et lui demande ce
que cela veut dire.

— Il y a encore en toi un côté qui défonce lorsque tu entres en
relation et qui déclenche des réactions parfois vives à ton
égard, précise-t-elle. Sur ce chemin peu fréquenté, tu auras
à composer au plus près avec le travail sur l'ombre.

Georges est touché, ébranlé. Il n'est plus totalement dans l'inconscience,
dans le brouillard. Il comprend le propos mais cela raisonne encore
trop avec la tête, avec le mental. Il sent que quelque chose lui échappe.
Il doit plonger. Mais comment ? De quelle falaise ? Il la regarde, il
devine qu'elle n'a pas terminé.

— Sais-tu qu'il y a trois manières d'être en contact avec l'ombre ?
La première, la plus commune, consiste à l'avaler, c'est le cas
de la majorité des personnes. Elles vivent totalement dans
l'inconscience. Elles n'ont, par la force des choses, aucune
intention de nuire. Mais elle attirent à elles l'ombre des autres
comme des aimants pour s'en nourrir et pour détruire. La
seconde consiste à porter l'ombre. Ces personnes ne sont plus
tout à fait inconscientes, mais il subsiste en elles une part,
plus ou moins importante, d'ombre encore aveugle. Elles
sont des écrans de projection haute définition qui reçoivent

l'ombre des autres, mais aussi qui projettent leur partie d'ombre non résolue. Enfin, la troisième, la seule qui conduit à l'éveil, consiste à être miroir de l'ombre. Ces personnes ont leur ombre totalement nettoyée. Il n'y a qu'un seul reflet et toute confusion disparaît. Elles sont pleinement dans la conscience. C'est au moment où elles reflètent l'ombre de l'autre sans être impliquées qu'elles peuvent la faire émerger sans être touchées. C'est seulement à partir de cet instant qu'elles accomplissent un réel travail de guérison autour d'elles.

Georges perçoit dans ce partage la force des images. En même temps, il sent qu'une part de son ombre n'est pas encore totalement guérie. Que son ombre soit épurée pour qu'il devienne juste le miroir de l'ombre lui semble une évidence. Lui vient alors plusieurs interrogations : pourquoi de nombreuses personnes effleurent l'ombre ou n'osent pas l'approcher, sauf dans les discours et les idées glanées ? Pourquoi regardent-elles ce monde abyssal intrigant qui glace leur sang et se rassurent en développant toutes sortes de recettes érigées en sagesse, en évitant les vagues ? Pourquoi peu de personnes osent plonger dans les profondeurs et faire la traversée ? Il laisse vibrer ces questions et inspire, le regard dans le vide. Anaïs le ramène et prolonge :

— Tu es foncièrement quelqu'un qui interpelle, c'est indéniable. Sois à l'aise avec cela et vis-le pleinement. Ta force est la première chose que l'on découvre, mais ta sensibilité est bien plus grande. Laisse-la émerger, elle est puissante et touchante. Utilise-la dès le départ de la rencontre pour créer la confiance. Tu n'as plus à te défendre. Contre qui ? Contre quoi ? Tu as rendez-vous avec un nouveau saut dans le vide.

Tu vas avoir à toucher la peur de ne pas être à la hauteur, celle qui te pousse à aller dans les hauteurs pour la ressentir. C'est l'endroit où tu peux perdre pied, la montagne en est le miroir réfléchissant.

Georges connaît l'importance du moment et associe la force de ces messages au prochain départ d'Anaïs pour l'hôpital. Ses chevauchées sauvages dans le cosmos et la vie lui ont usé les hanches. Elle rejoindra le centre médical demain pour remplacer sa hanche droite. Georges sera à ses côtés.

Anaïs a peur de l'intervention, plus particulièrement de l'anesthésie, elle sent sa mort. Elle sait qu'elle devra choisir : se réveiller ou non. Elle a déjà vécu cette même situation. Avant l'opération, elle regarde le chemin accompli et se réjouit d'avoir réalisé un rêve, d'avoir trouvé une nouvelle façon de travailler avec le corps de lumière dans la magie de l'arc-en-ciel. La fin de sa vie est de toute beauté. Elle laisse en héritage un pas dans une nouvelle direction, un grand pas au-dessus de la mêlée dans les rites de transformation.

Georges entre dans cet espace privilégié où Anaïs lui montre le chemin de la vulnérabilité. Profondément humaine, elle pleure et a peur. Pour la première fois, il la découvre fragile. Il est témoin de sa résignation et de l'acceptation que sa vie peut s'arrêter à ce moment précis.

La veille de l'opération, le thermomètre frôle les moins 30 degrés. Georges lui propose de passer la nuit au bord du lac. Il prépare l'espace de sa maison pour l'accueillir. Il dispose des roses blanches et rouges dans un vase, symbole de l'alliance du féminin et du masculin. Il prépare un tartare de thon pendant qu'Anaïs s'installe avec douceur. Elle se déchausse difficilement, sa hanche souffrante gênant le mouvement.

Georges fait couler un bain, ajoute des branches de cèdre pour lui permettre de se purifier. La fatigue est présente, la peur émerge. Pendant qu'Anaïs s'abîme dans les profondeurs, il prépare un espace rituel. Il dispose les peaux de loup et d'ours, les ailes de fumigation, les tambours, les hochets, les plumes et les moulins à prières dans les quatre directions. Anaïs le rejoint et découvre un grand feu de bois dans la cheminée faisant face au lit dressé au milieu de la pièce. Georges allume neuf bougies disposées sur trois niveaux : les trois premières symbolisant le niveau du sol, les trois autres celui sous la terre et les trois dernières celui du ciel. Il brûle un mélange odorant de sauge, de foin d'odeur et de racine d'ours devant les portes et les fenêtres, ensuite face au feu bienveillant. Il lave son corps avec la fumée et la dirige sous ses pieds pour purifier le chemin qu'il aura à parcourir cette nuit. Il dispose quelques plumes dans ses cheveux. Georges, vêtu de la jupe cérémonielle qu'Anaïs lui a offerte, l'accueille nue. Il la purifie avec la fumée rituelle. Anaïs, surprise, lève les bras au ciel et tourne sur elle-même, telle une toupie, pour en recevoir les bienfaits sans omettre une parcelle de peau. Georges, avec le complice musical Krishna Das, honore la Déesse et l'installe au centre du lit. Il attache un foulard sur ses yeux et s'assoit sur son ventre, la chevauchant.

Georges danse une bonne partie de la nuit, allant du feu à Anaïs, et masse chaque partie de son corps. Il fait de cette nuit un moment inoubliable, un don de son âme et de son corps. Dans cette danse extatique, le corps d'Anaïs flotte dans les étoiles. L'infini de la source coule dans ses veines. Son sang en gardera encore la mémoire ! L'amour est le secret, le sacré, la médecine et la magie. Le secret, le sacré et la médecine sont à l'intérieur ! Georges vibre de toute son énergie jusqu'au moment où il s'endort sur elle, une couverture sur les épaules.

Au lever du jour, Georges prépare la voiture. Ils se dirigent vers Montréal. Anaïs est dans un état second, encore dans les effluves de cette nuit chamanique. À l'hôpital, elle lui confie, avant d'être conduite en salle d'endormissement :

– Je souhaite à tous une nuit magique comme celle que je viens
de vivre. C'est à recommander à tous les anesthésistes du
monde ! Je ne me rends même plus compte de l'endroit où
je suis attendue, la peur s'en est allée.

Anaïs est en salle de réveil. Elle oscille entre éveil et sommeil. Georges a accroché une plume d'oie sur la barre transversale de redressement du lit, juste au-dessus de la tête d'Anaïs. Lorsqu'elle ouvre les yeux, elle regarde la plume, le reconnaît, lui sourit et se rendort. L'opération s'est bien déroulée. Anaïs a choisi de vivre.

Quelques jours plus tard, la rééducation entamée, elle ressent l'opération comme une libération. De retour chez elle, elle apprend à faire les pas au bon moment, à la vitesse de la lumière. Sa force intérieure, mue par l'amour de la vie, lui a permis de traverser le doute. Maintenant, elle contient son feu intérieur dans l'immobilité et le senti. Elle découvre un bûcher invisible dont la brûlure est dans l'immense plaisir de la mort lente. Anaïs se demande si elle aurait dû se tenir tranquille plutôt que de jouer avec le feu de ses racines sauvages. Il est trop tard, elle ne peut plus s'en passer ! Il lui est impossible de vivre autrement et de revenir en arrière, tant cela lui semble délicieux.

Maintenant, elle saisit pleinement le sens du mot « femme-flamme ». L'instinct le lui a dicté. Le feu régénère ses vieux os. Elle va mourir enflammée dans les bras du Bien-Aimé. Elle va mourir d'une mort lente, celle qui permet d'entrer dans le temps éternel.

Anaïs s'endort lovée au creux de l'hiver qui s'en vient, paisible. Son corps se repose dans l'attente du grand jour, celui où elle sera debout sur ses deux jambes. L'hiver s'annonce tendre. Repliée dans le silence, son cœur bat au rythme de la terre. Elle doit retrouver ses racines ancrées dans la Terre Mère, à même l'arbre de vie, pour marcher de nouveau libre dans le vent.

De retour sur le lac, Georges prend quelques jours de repos avant d'accueillir John, son complice de l'Himalaya. Cette visite lui offre une pause après l'intensité des derniers événements. Heureux de se retrouver, ils se souviennent des situations vécues et des régions traversées. Ils se rappellent les conditions difficiles de leur retour à deux, détachés du reste de l'équipe. Avec un sourire taquin et un ton respectueux, John lui demande s'il a eu des nouvelles de Dhoma. Silencieux, Georges le regarde. En guise de réponse, il dépose sa main sur son épaule avec un sourire complice. L'un et l'autre sont différents, leur nature d'homme a bien changé. Ils aiment partager cette intimité où l'un et l'autre n'ont rien à cacher.

Le lendemain, ils décident de passer la journée dans la nature. Cette longue randonnée leur ouvre l'appétit. Ils prennent plaisir à préparer le repas ensemble. Georges profite de cette occasion pour cuisiner avec les épices et les caris achetés au Népal. Après le repas, les deux hommes se retrouvent au salon. Ils ont envie d'une soirée calme au coin du feu.

Ils s'affairent à rassembler le bois, puis Georges allume le feu tandis que son ami choisit une musique d'ambiance. Ils s'installent sur le canapé, face au feu. Georges, silencieux, regarde les flammes débuter leur danse. Il tient son bâton de sagesse et caresse le crâne de loup à son embout. John observe la scène et reconnaît l'objet. Ils prennent un verre de vin rouge. La bouteille vidée, Georges en choisit une nouvelle. Tous deux aiment le bon vin. Voilà l'occasion de célébrer leurs retrouvailles.

— Être un homme, mon ami, c'est la chose la moins évidente qui soit, s'exclame Georges. Il y a encore un lourd bagage de frustration. Dans notre société, la sexualité est trop axée sur la performance et non sur l'amour. Elle sert à évacuer la colère, la frustration, l'angoisse, l'anxiété. Regarde tous les messages véhiculés par les personnes autour de toi ou dans la publicité. Les hommes sont à la recherche de leur vraie nature sauvage, totalement brimée par la société. Finalement, nous assistons à une sorte de castration sociale généralisée ! Même si, en chaque homme, il y a un sauvage qui sommeille, un loup affamé qui veut hurler à la lune et s'aventurer en pleine forêt, la rencontre entre hommes dans la vulnérabilité est ce qu'il y a de plus beau et de plus rare.

Sensible à ces propos, John ajoute qu'il le rejoint, mais que le mythe de l'homme fort est toujours là.

— Oui, c'est la raison pour laquelle les hommes se sont dirigés vers les femmes, ajoute Georges. Ils se sont servis d'elles comme paravents pour se protéger des autres hommes, ceux dont ils veulent être consolés, rassurés et aimés. Avec le recul, ils découvrent avoir perdu de longues années de leur vie à protéger leur souffrance et ainsi à construire leur propre prison.

– Oui, mais il y a aussi la peur de toucher à la dimension que tu décris à cause de l'homosexualité, renchérit John. C'est un gros tabou qui ne facilite pas la rencontre d'homme à homme dans un espace de vulnérabilité et de confiance.

– Exact, acquiesce Georges. Ce qui fait cruellement défaut, c'est qu'il n'existe aucune initiation à la vie d'homme dans notre monde occidental. Aucun rite de passage oh combien nécessaire pour marquer les étapes clés. Aucune initiation à la vraie sexualité masculine. Tous ont appris et découvert par le jeu des essais-erreurs, avec beaucoup d'égarements, sans parler des blessures originelles accumulées qui faussent chaque nouvelle rencontre. En s'ouvrant au féminin en lui, l'homme s'ouvre aussi à son instinct, son senti : la force du guerrier appuyée sur la sensibilité devient pacifique. L'homme recherche l'équilibre, l'harmonie, il ne part pas en guerre inutilement, porté par sa colère. Flexibilité, tolérance et clarté s'installent. Son action devient consciente et juste. Le lâcher prise est la porte d'entrée. La force d'amour ressentie va générer l'état de confiance nécessaire à l'ouverture de la porte. La plupart des hommes ont peur de la rencontre avec les femmes, de les allumer, plein feu ! Ils ne comprennent pas la vraie nature du cadeau qui demande, pour le recevoir, de disparaître. Si je prends une image qui nous est chère, rares sont les sherpas qui peuvent aider à atteindre le sommet de l'Himalaya en se réjouissant de la relaxation sur les plateaux.

La plupart des hommes tombent dans la première crevasse, au début de l'ascension, ou se sauvent quand l'intensité se libère, par peur viscérale de la mort, d'être dévoré, d'être englouti, d'être castré ou de ne pas être à la hauteur.

Tous deux sentent que l'échange les rapproche et les transporte. John aime la passion et l'intensité de Georges, leur amitié est forte. Repartir en Himalaya ensemble ne lui ferait pas peur et, dans ces conditions, il se dit que que cela aurait du sens. Avant de s'endormir, Georges propose de partager le lendemain une hutte de sudation. Il sait que son ami serait heureux de pouvoir vivre l'expérience. John se réjouit de cette nouvelle aventure pour célébrer la fin de son séjour au bord du lac.

À midi, Georges emmène John participer à un rituel de guérison. La petite hutte de sudation, construite l'automne dernier avec son ami algonquin, est idéale pour deux personnes. Située au bord du lac, elle est aisément accessible en raquettes, malgré l'épaisse couche de neige. Georges a apporté des offrandes pour le Feu sacré, de l'écorce de bouleau et un fagot de bois de cèdre. Le bois nécessaire pour le feu et les pierres sacrées à chauffer sont rangés sur le site, sous une bâche à l'abri de la neige. Les deux hommes préparent le lieu en silence et avec respect. Georges dispose des fanions de couleur aux quatre directions. Pendant ce temps, John rend confortable l'intérieur de la hutte. La cérémonie se déroulera en quatre portes, débutant par celle de l'Ouest. Ils disposent ensemble vingt-huit pierres à la base de la construction du Feu sacré. Pour chaque porte, ils utiliseront sept pierres appelées Grands-Pères et Grands-Mères, la mémoire des ancêtres. Le feu allumé, les offrandes et le tabac sont déposés pour remercier le Grand Esprit de veiller sur ce moment de purification. Ils assumeront la mission de gardien du feu à tour de rôle. À la tombée du jour, après trois heures de chauffe, la température des pierres est adéquate.

John s'installe à l'intérieur de la hutte et Georges introduit les sept premières pierres. Une fois la porte fermée, ils se retrouvent dans le ventre de la Terre Mère. John est intrigué par la noirceur du lieu. Les pierres chauffées au centre de la hutte, semblables à des yeux rouges, lui donnent l'impression d'être en présence d'animaux.

– La première porte, à l'Ouest, est celle de l'ours, explique Georges. Cet animal symbolise la force, l'introspection, l'intuition, la sagesse et la force d'âme. Sois attentif, la sagesse est sans âge. Elle n'a rien à voir avec les expériences de vie. Si elle est rattachée à l'âge que tu as, cela signifierait que tout le monde est sage ou peut le devenir, un vrai produit de consommation. La sagesse n'est pas une conclusion et ne vient pas de l'expérience, elle est révélation. L'ours enseigne que chacun détient le savoir et la capacité de faire le calme. Il demande aussi de regarder nos côtés critique, hypocrite et tatillon.

D'un geste vif, Georges projette de l'eau sur les pierres pour élever la température de la hutte. La vapeur dégagée prend à la gorge. John pousse un cri lorsque cette chaleur l'enveloppe, il commence à transpirer. Les deux hommes se sentent privilégiés de partager ce moment de vie. La petitesse du lieu, au regard de ces grands corps musclés, impressionne. John pleure sans trop savoir pourquoi. Georges accueille ses larmes en silence. Après un long moment, il propose d'ouvrir la porte avant d'entamer la seconde ronde. Ils sortent dans la neige, se chaussent et prennent place autour du feu. Georges lance une poignée de tabac dans le feu en invitant son ami à l'imiter. John, les larmes aux yeux, lance à son tour la plante pour remercier de ce premier voyage.

Cette fois, Georges entre le premier dans la hutte et John introduit sept nouvelles pierres. De nouveau dans la noirceur, la ronde débute. La seconde porte, au Nord, est celle du bison, celle de la connexion à la terre.

– Le bison montre qu'il y aura toujours abondance en respectant les lieux et les personnes, en les accueillant avec gratitude et bienveillance, révèle Georges. Il demande de regarder notre difficulté à demander de l'aide et à être trop exigeant envers nous-mêmes.

John répand l'eau purifiante, avec un balai de cèdre, sur les pierres. La chaleur s'intensifie et la vapeur transperce les pores de la peau. John confie à Georges l'origine de sa tristesse. Son propos de la veille sur la sexualité des hommes a ouvert une brèche sur sa peur de ne pas être à la hauteur. Son ami l'invite à se mettre à genoux, les mains et les pieds en contact avec le sol. Il lui propose de se connecter avec force à la terre.

– John, regarde de quoi tu as besoin pour être tout simplement toi, ajoute Georges.

Il prend la même position et commence à grogner tel le bison. John l'imite. La hutte devient de plus en plus étroite lorsque le sauvage prend toute son ampleur. Un moment de guérison émerge dans ce lâcher prise.

Le moment est venu de passer à la troisième porte. Après avoir honoré le feu sacré avec le tabac, Georges introduit sept nouvelles pierres. La porte de l'Est est celle du faucon. Cet oiseau de proie s'apparente au messager. Le faucon enseigne à scruter les environs.

Georges invite chacun à examiner sa vie en prenant de la hauteur afin de distinguer les obstacles qui l'empêchent de s'envoler, d'identifier ce qui le retient encore dans ses entreprises. L'échange est riche. Georges propose de regarder ce qui nourrit aussi leur impatience. Il tend les mains en direction de John et saisit les siennes. Cette troisième ronde renforce leur connexion. Chacun suit un chemin différent avec ce qu'il reçoit. Quelques instants plus tard, Georges frappe le tambour qu'il a fabriqué avec son ami micmac, tandis que John l'accompagne avec un hochet. L'énergie s'élève à la hauteur de la température intérieure de la hutte. Leurs corps transpirent abondamment. Ils sentent les gouttes de sueur ruisseler sur leur peau devenue collante.

Les deux hommes honorent une ultime fois le Feu sacré avec du tabac et du cèdre. Georges entre dans le ventre de la Terre Mère une quatrième fois pour retourner dans le berceau de vie et ressentir la vraie nature de sa force pour la libérer. John le rejoint et introduit les sept dernières pierres. La quatrième porte, au Sud, est celle de la loutre, la porte du féminin. Georges lance le reste du seau d'eau sur les pierres. La ronde finale, celle destinée à la purification totale, extirpe les dernières toxines. Georges y ajoute quelques herbes magiques. La loutre demande de regarder notre difficulté à se concentrer et à accepter ce que nous recevons. Il ne peut s'empêcher de repenser à son récent voyage en Arizona. Accepter le flot de la vie en descendant de bassin en bassin. Comme la loutre, être libre d'aimer dans le détachement, d'aimer sans contrainte et sans rapport de force.

Chapitre 5

Au matin, Georges émerge d'un sommeil profond. Un soleil blafard et un vent piquant digne de février l'invitent à rester sous l'édredon. Il sent ses muscles encore endoloris à la suite d'une randonnée en raquettes faite la nuit précédente. Georges aime traverser la forêt qui entoure la maison, sous la lune, accompagné de son chien. Il savoure ces moments de silence où retentit le bruit de ses pas qui enfoncent la neige croutée. Il aime se promener dans cet espace minéral et sauvage. Finalement, on peut trouver son Himalaya n'importe où, observe-t-il. Les reflets argentés sur les branches incitent à la méditation. Il sait que les arrêts ne peuvent être ni trop fréquents ni trop longs par ces grands froids intenses. Tham le lui rappelle rapidement lorsqu'il lève tour à tour ses pattes gelées. Georges l'a nommé Tham en mémoire et gratitude pour son ami sherpa du dernier voyage himalayen, l'homme témoin de sa rencontre avec le vide.

Après le petit déjeuner, Georges quitte l'espace du lac pour rejoindre Montréal. Il quitte la montagne et traverse la rivière des Mille-Îles à une période de faible affluence. Une heure plus tard, il atteint la ville et retrouve Sarah, sa chorégraphe. Elle est de retour après un séjour à New York où elle accompagnait un ballet contemporain depuis deux mois. Née à Philadelphie il y a quarante ans, Sarah est une femme pétillante, sensible. Passionnée par le corps et son mouvement, elle aime innover. Sa formation en danse classique, complétée par de nombreuses approches orientales, faisait d'elle la ressource idéale pour l'aider dans son projet.

Depuis la danse intuitive du samouraï de la nuit de Noël avec Anaïs, Georges avait ressenti la nécessité de plonger plus profondément dans la brèche ouverte durant ce moment extatique. Son désir de travailler sa danse plus intensément avec le support d'une chorégraphe avait déclenché cette rencontre. Sarah accepta le projet. Elle saisit l'occasion offerte d'explorer le territoire de l'émotion. Elle était sensible au thème de la vulnérabilité masculine et cette idée la transportait intuitivement dans un autre espace. Cette danse du samouraï devenait petit à petit la danse des larmes du samouraï...

Lors de leur première rencontre, l'échange de regards était empreint de douceur et de fragilité, une forme de miroir inversé. Georges avait appris que Sarah était atteinte d'un cancer du sein, mais ne lui avait pas révélé. Néanmoins, quelque chose d'inconscient l'amenait à cet endroit. Il y avait de la beauté à observer son aisance et sa facilité à entrer dans des espaces peu fréquentés.

Georges entre dans la salle et se prépare pour la première danse. Il attend les directives et orientations. Sarah lui demande de garder le silence pour que chacun puisse se connecter à l'autre. Elle s'assoit sur une chaise à l'extrémité de la salle. Elle lui demande de lancer la bande son qu'il a préparée et, tout simplement, de danser. Georges entre à l'intérieur de lui, complète son habillement et prend ses accessoires. Il est ancré dans le sol, les deux pieds nus enracinés sur le parquet de bois. Le regard est droit, fixe, dirigé vers la chorégraphe, mais il ne la voit plus. Il entend sa respiration dans le masque, le manche du sabre de bambou entre ses deux mains jointes pointe la gorge de Sarah.

Il se souvient de la précédente danse du samouraï exécutée devant Anaïs et se remémore les moments forts et difficiles partagés. Il sait qu'il n'a plus à séduire, juste être présent. Il sent, cette fois, qu'en retirant l'armure, le masque et le sabre, un chemin plus s'intense s'ouvre à lui.

Georges débute le mouvement lorsqu'il entend les premières percussions accompagnées d'accords de cordes puissants. Il abandonne, dans un lancer contrôlé, son sabre et ses gants. Son arme tranchante glisse sur le plancher et vient s'échouer aux pieds de Sarah. Elle soulève légèrement les pieds et sourit de découvrir la précision du geste de Georges, le sabre s'est immobilisé au bon endroit. Il sent que le geste porté à une lourde signification. Déposer les armes et cesser de se battre !

Il abandonne ensuite le masque qu'il fait virevolter du bout des cordes avant de l'échouer sur le côté droit. Il réalise de nouveaux déplacements glissés et se retrouve dos au sol, les deux pieds vers le ciel, les jambes en équerre comme s'il voulait dresser les plans d'une cathédrale. Les bras en croix, les jambes hautes, le sacrum écrasé au sol, il pivote sur son flanc gauche pour aboutir sur les genoux, le torse ayant repris la position verticale.

Le danseur détache alors les lanières qui maintiennent l'armure sur son thorax protégeant son cœur. En quelques voltes et mouvements couchés sur le sol, il lâche l'objet de toutes les protections. L'émotion monte. Il sent les larmes venir dans ce strip-tease particulier. L'énergie est à son comble. Les objets déposés çà et là font apparaître un cercle rituel et Georges se déplace à genoux de l'un à l'autre, comme s'il les saluait pour la dernière fois. Torse nu, vêtu uniquement de sa grande jupe bleu nuit, il termine sa danse sur une musique langoureuse et sensuelle. Il saisit son masque et le tient en forme de réceptacle pour y verser ses larmes.

La musique s'arrête et un profond silence s'installe. Sarah est troublée, touchée. Georges la regarde, le cœur ouvert, en pleurs. Elle ne peut retenir les siens. Une étrange et soudaine magie naît entre eux. Le samouraï rencontre la mort à travers une femme mourante. C'est la mort, parce qu'éphémère, qui a rendu la rencontre possible !

Tous deux aiment se retrouver dans cet espace privé et intime. Les répétitions donnent un rythme au temps de la vie qui se déroule simplement. La salle est grande et permet de grands déplacements. Sur toute sa longueur, un énorme miroir offre au danseur de suivre ses mouvements et d'apporter les corrections suggérées par la chorégraphe. Malgré l'aspect symbolique de cette danse pour laquelle les gestes sont codifiés, Sarah laisse libre champ à l'improvisation. Bien que le fil conducteur soit précis, chaque nouvelle interprétation ne ressemble pas tout à fait à la précédente. Cela plaît beaucoup à Georges. Il ressent cet espace de liberté qui lui permet chaque fois d'être dans sa totalité. Les larmes du samouraï sont un nouveau plongeon dans le vide.

Sarah est également photographe. Aujourd'hui, elle a emporté, à la surprise de Georges, le matériel nécessaire pour prendre quelques photos de la danse, fixer les moments clés de ce rituel, les expressions dramatiques et les mouvements de corps du danseur. Georges apprécie cette nouvelle expérience. À la fin de la séance, Sarah l'invite à prendre le thé chez elle et à découvrir les photos prises.

Georges découvre un duplex confortable et intelligemment éclairé par des fenêtres donnant sur des espaces verts. Au rez-de-chaussée, il accède à une cuisine intégrée au salon et à la salle à manger où une large bibliothèque attire son regard. Georges savoure un thé blanc à la grenade. Il se réjouit de ce moment hors du contexte de la salle de danse. Il lui semble qu'un autre espace sans armure s'ouvre à eux. Une nouvelle dimension et une complicité naissent de ce moment improvisé.

Sarah demande à Georges de la suivre dans son studio photo situé à l'étage supérieur. L'espace est confortable, vaste, rempli de nombreux matériels d'éclairage et de fonds de scène. Elle propose de reprendre quelques clichés dans ces conditions privilégiées. Il accepte et revêt sa tenue. Une autre danse magique débute. Sarah, l'œil derrière l'objectif, le guide. Ils se dirigent ensuite vers l'ordinateur où les premiers clichés apparaissent. Les photos sont superbes. Georges est touché par l'expression de son propre visage et ressent une profonde tristesse. Sarah a capté toute la profondeur de son regard et sa vulnérabilité est mise à nue. Tous deux sont émus et se taisent. Ils tournent délicatement leurs visages l'un vers l'autre. Sarah tombe amoureuse de l'image de Georges, et lui de la personne qui l'a saisie. Une femme derrière l'objectif ! Où est le sens ? Où la magie se déclenche-t-elle ? Comment Narcisse se sent-il ?

Dix-sept heures, la sonnette de l'appartement vibre. Sarah s'excuse. Le temps s'est écoulé rapidement et elle a oublié un rendez-vous important. Elle réapparaît avec Luc, son infirmier qui doit lui administrer un traitement rapide sous perfusion. Elle annonce qu'ils peuvent poursuivre la sélection des meilleures photos tandis que le liquide coulera dans ses veines. Georges propose de revenir plus tard. Elle insiste.

Sarah vit le passage quotidien de l'infirmier comme un rituel particulier, un moment qui rythme et cadence sa vie. L'infirmier tente à trois reprises d'introduire l'aiguille dans le bras gauche de Sarah. Au troisième essai, Georges sent l'aiguille transpercer aussi son bras. Une vibration le traverse. Une sensation étrange monte en lui, en arrière de sa gorge. Des larmes émergent dans ses yeux, à peine perceptibles de l'extérieur. Sa respiration change, se synchronise avec celle de Sarah. Il ressent sa douleur. Elle goûte également l'intensité du moment et perçoit l'émotion. Elle tourne son visage, rencontre son regard vert et intense. Ils sont au cœur de la rencontre. Pour la première fois, elle lui parle de sa maladie. Le cancer est très avancé et de nombreuses métastases ont pris la maîtrise de son corps. La médecine traditionnelle a sa version des choses. Les choix de Sarah l'ont amenée sur une autre trajectoire. Elle a décidé depuis longtemps de prendre le pouvoir intérieur sur sa maladie pour trouver son chemin de guérison. La solution que lui injecte Luc n'est rien d'autre que de la vitamine C.

Depuis cette rencontre, Sarah et Georges passent de plus en plus de temps ensemble. Ces espaces magiques créés entre eux sortent du réel. À vouloir donner un sens à cette rencontre, à vouloir comprendre le pourquoi des choses, Sarah éprouve une grande tristesse. Dans ces moments de proximité intense, elle apprend à être présente. Et cela est nouveau pour elle ! Sans attente, sans espoir de trouver une direction précise, juste accueillir Georges dans sa vie. La maladie l'aide à s'éveiller à la vérité. Maintenant, sa vie devient le maître et l'enseignant. Elle lui donne continuellement l'écho sur la marche à suivre. À ce stade de son existence, elle choisit enfin de se mettre à l'écoute et accepte la danse telle qu'elle est, l'aventure au présent.

Georges aime l'accompagner dans son sommeil, lui masser le dos avec de l'huile essentielle, sentir sa peau déposée sur la sienne. Combinés à leurs gestes, leurs corps se fondent dans un mouvement mystique et prennent leur envol dans un espace de légèreté. Avec l'énergie, Sarah virevolte dans cet espace, se retourne et oublie la souffrance. Son vagin gonfle et s'humidifie. Elle s'ouvre enfin et attend la pénétration de Georges au plus profond de son être. Georges sent sa peur. Lorsqu'il s'approche d'elle et dépose sa main sur son cou, elle se protège par un mouvement de côté. Il perçoit l'abus, la peur de cette femme dans la rencontre à l'homme. Il sent aussi l'abus dont il a été l'objet petit garçon. La danse de guérison entre eux prend alors tout son sens. Il y a une telle douceur, une telle fragilité dans l'attention portée l'un à l'autre que cela déclenche une sensibilité fine. Lorsque son sexe emplit le vagin de Sarah, elle se met à pleurer et se demande pourquoi il lui faut attendre la fin de sa vie pour commencer à ressentir, à s'abandonner, à cesser de lutter.

L'orgasme puissant, vibrant ouvre un espace sacré. L'espace créé ensemble devient maintenant un refuge où Sarah ne tremble plus de douleur, où elle éprouve de moins en moins de peurs. Toute une respiration dans la lumière, des moments d'une richesse, d'une beauté inexplicable, de tendresse infinie, de pure présence partagés à deux. Georges l'accompagne dans la douceur et la force. Le cadeau de la rencontre est cette transformation accélérée pour les deux, une synergie de guérison qui rejaillit sur les autres.

Les amis de Sarah ne comprennent pas le sens de cette rencontre. Cet espace d'amour arrive au plus mauvais moment, se disent-ils. Il s'inscrit en décalage et hors de leur cadre connu. Ils ont peur ! À ce stade de la maladie, aimer avec son cœur, passion, sensualité et dans son sexe a-t-il encore un sens ? Georges transgresse un tabou. Lorsqu'il les rencontre, il ressent les non-dits et observe leur difficulté à partager naturellement leur vécu à partir de leur cœur. L'essentiel ne se trouve pas à l'extérieur, mais à l'intérieur. Sarah et Georges l'ont bien compris.

Ce soir, Sarah pleure. Elle ne peut plus supporter ce sentiment d'être dépassée et coincée par toutes sortes d'épreuves et de défis. Elle ne comprend pas et ne comprendra probablement jamais pourquoi elle a attiré une telle variété de difficultés dans une vie aussi courte. Elle voulait vivre et en même temps mourir : le dilemme de sa vie. Mais ce qu'elle saisit parfaitement, maintenant, c'est que la seule façon de vivre en paix avec la réalité, c'est de l'accepter pleinement. Au-delà de réussir à transformer et à transcender la douleur, elle souhaite demeurer, avant tout, dans cet espace sacré d'amour.

Chaque geste, chaque mouvement de son corps lui demandent une énergie qui n'est plus disponible. La vie lui permet d'assimiler en profondeur les nombreuses leçons à tirer de cette maladie, l'invitant à lâcher prise. Elle ne souhaite plus entendre parler de cette maladie. Même s'il reste peu d'espoir, même si elle souffre, même si son corps est brisé, elle ne veut plus entendre nommer son cancer. Elle désire détourner son regard et celui des autres de cet envahisseur.

— Non par déni, évoque-t-elle. Comment pourrais-je oublier avec les épouvantables supplices auxquels je suis assujettie jour et nuit ?

Sarah veut s'en détacher au profit de cette relation magique. Dans cet équilibre précaire, elle accepte de marcher sur ce fil d'amour qui la maintient en vie.

Pourquoi Georges se retrouve-t-il à partager ce chemin de souffrance avec Sarah ? Son intensité de vie rencontre l'intensité de sa souffrance. Il a rendez-vous avec la mort et l'amour. Des vagues de tristesse le submergent. Lorsqu'il est allongé auprès d'elle, il ressent toute la puissance et la précarité de la vie. Il aime lui caresser les cheveux, plonger dans son regard et mélanger ses larmes aux siennes. Cette poitrine de femme devenue dure se dépose contre son corps, le sang en transperçant les vêtements comme si elle avait été poignardée. Dans ces moments sanglants, Georges sent la maladie le pénétrer profondément. Il reçoit Sarah dans sa totalité, dans sa beauté de femme. La maladie transcende et ouvre des portes insoupçonnées. Mourir dans la jouissance, s'abandonner dans l'orgasme pour retrouver l'essence divine, n'est-ce pas préparer le grand passage ? La vie se résume en trois expériences culminantes : la naissance, l'orgasme et la mort. Dans ces moments clés, la force de la pulsion biologique oblige à lâcher prise, la conscience peut alors s'ouvrir et guider au-delà des limites corporelles.

Les douleurs et les limitations du corps de Sarah n'ont cessé d'évoluer. Les jours s'écoulent et elle ne peut plus se déplacer au studio de danse pour superviser les chorégraphies. La douleur et l'épuisement ont pris le dessus. Elle ne peut plus tenir ses gros appareils photographiques et a dû se résoudre à les troquer contre de plus légers. Tout s'est écroulé.

Georges partage avec Anaïs ce qu'il vit avec Sarah. Il témoigne de cette rencontre éphémère avec la femme, mais surtout de sa présence au cœur du triangle fondamental : vie, amour et mort. Il lui manifeste son plaisir à faire l'amour avec la mort, comment Sarah et lui explorent des territoires où les mots ne peuvent que réduire l'expérience.

> — Tu dois regarder le sens de cette rencontre, lui dit-elle. Il s'agit d'un espace intangible, un territoire d'une grande délicatesse où la résonance vibratoire nourrit le silence. Où le parfum est si subtil qu'il n'y a pas besoin de mots pour connecter le divin. Ouvre tes ailes avant de décoller. L'atterrissage est garanti dans l'envergure de qui tu es.

Le face à face de Sarah avec la mort s'intensifie. Georges écoute le silence, la solitude, les sons qui imprègnent les nuits partagées avec Sarah. Il entre dans un espace privilégié où son âme se laisse contempler, sans attache, libre et brillante. Il retrouve, grâce à elle, ce monde contemplatif de ses premiers jours de vie, un espace de pureté où plus rien n'importe.

Sarah n'en peut plus de vivre l'aggravation de sa maladie, jour après jour. Les métastases prennent le dessus. Le second sein, les ganglions sous les aisselles, les os de la colonne vertébrale et du bassin sont atteints. La douleur irradie chaque cellule de son corps. Sa colonne dorsale devient petit à petit un ensemble d'os de moins en moins interreliés, à un point tel qu'elle risque de se briser à tout moment. Elle est épuisée par les pansements imbibés de sang qu'elle doit changer régulièrement, son corps devient fragile. Au bout de trois années de souffrance, ses résolutions sont prises, l'agenda est épuré, Sarah s'isole de tout et de tous. Elle accepte de s'éloigner de l'inutile suffisamment pour entamer les derniers moments. Elle décide enfin de soulager la douleur par quelques séances de radiothérapie qu'elle avait toujours refusées jusqu'à ce jour.

Julie, une amie ontarienne de Sarah, est de passage à Montréal en cette fin de journée maussade. Elles ne se sont pas revues depuis longtemps. Sarah n'avait pas encore connaissance de l'existence du cancer. Georges la salue et observe les regards échangés entre les deux femmes. Il y a entre elles une tendresse, une beauté complice et une sensualité naturelle. Il se sent privilégié d'être témoin d'un tel échange d'amour. Ils les laissent quelques instants et décide d'organiser le repas pour célébrer ce moment de retrouvailles. Il part acheter une queue de saumon et quelques condiments pour accompagner ce goût sauvage de l'Atlantique. Sarah se nourrira, quant à elle, de jus de légumes verts.

De retour, Georges rejoint les deux amies au salon. L'énergie est vibrante. Cette fin de journée offre un moment délicieux où les choses arrivent simplement parce qu'elles existent. Il ressent la disponibilité et l'ouverture de chacun. Il n'y a rien à demander, tout est là. Juste accepter le moment et être présent à l'énergie. Sarah est touchée par la magie de cette rencontre à trois. Quelques larmes glissent sur son visage. Elle sait qu'elle est le trait d'union entre Julie et Georges. Elle est heureuse de partager cet instant avec deux personnes qu'elle aime profondément.

Georges prend en charge la confection du repas avec Julie pendant que Sarah se repose. Dans la cuisine, Julie ne peut retenir ses larmes. Elle est particulièrement émue de retrouver son amie aussi diminuée physiquement. Découvrir le corps rétréci de cette femme qui se déplace avec autant de difficulté et de souffrance la touche fortement. La vie oblige à se regarder, se dit-elle. Elle marche vers le réfrigérateur et s'immobilise, regarde Georges les yeux larmoyants et se jette dans ses bras. Il l'enveloppe avec amplitude et douceur. Les corps vibrent l'un contre l'autre. Il sent son ventre et ses seins se déposer sur son cœur avec une infinie tendresse. Il ressent aussi toute la tristesse et la fragilité de cette jeune femme qui a le même âge que Sarah.

Julie relève la tête, sa respiration est douce, leurs regards sont tous deux empreints de cette vulnérabilité qui déshabille. Sarah entre dans la cuisine et rejoint ses amis enlacés. Ils s'écartent pour l'accueillir et la prennent dans leurs bras. Quand le ciel est relié à la terre, le miracle de la vie déploie son mystère au quotidien. Celui qui reçoit cette bénédiction ressent l'amour dans toutes les fibres de son corps et ne peut que le partager. Connectés à la source, les cœurs débordent et se déversent sans raison pour le simple plaisir d'être en vie et de le partager avec tous les êtres vivants. Ils embrassent la danse divine sans vouloir la changer. Georges pose ses mains tour à tour sur le visage des deux femmes. L'espace est hors dimension et les mots une fois encore n'ont plus de sens.

Ils terminent la préparation du repas et placent quelques bougies çà et là au centre de la table. Une énergie particulière règne. Une impression de déjà vécu, comme s'ils s'étaient tous trois déjà rencontrés, la rencontre de vieilles âmes ! Georges prend leurs mains, une chaîne d'union naît, l'énergie est vibrante. Il ressent une telle profondeur et un tel contact au vide. Ce voyage entre aisance et silence lui fait ressentir la puissance du moment.

— Georges, je t'aime et te demande pardon, exprime soudainement Sarah. Je sais bien que ce n'est pas une bonne idée de développer une relation d'amour dans ces conditions. Je suis venue seule sur cette terre et je la quitterai seule !

Julie est émue. Georges ne répond pas. Il n'a pas l'impression d'être en relation d'amour avec Sarah, ni avec qui que ce soit d'autre par ailleurs. Il est simplement en amour, dans un espace de liberté et d'énergie permettant la rencontre de l'essentiel. Un long silence s'installe entre eux et une respiration commune émerge. Sarah se retire quelques instants dans sa chambre. Julie l'accompagne tandis que Georges débarrasse la table du repas.

Il retrouve les deux femmes dévêtues sous la couette. Il se glisse délicatement entre elles. Les regards sont tendres et remplis de douceur. Georges accueille les deux Déesses sur chaque épaule et dépose ses bras sur les leurs. Elles se retrouvent yeux à yeux, dans un regard intense à quelques centimètres l'une de l'autre. Sarah approche sa bouche de celle de Julie. Leurs lèvres se rencontrent sous le regard de Georges. Il synchronise sa respiration avec le mouvement de corps de ces deux femmes divines. Il y a tant d'amour rassemblé sur aussi peu de surface. Il sent les seins de Julie et de Sarah caresser son corps. Pénétré par cette féminité, il s'abandonne, se dépose et sent son sexe vibrer. Julie pose ses lèvres sur la poitrine de Georges pendant que Sarah caresse la chevelure noir ébène de Julie. L'ébène, couleur de la traversée des ténèbres, invite la triade magique dans un espace indéfinissable. Cet endroit où la vie et la mort se rejoignent, où les vivants et les morts entament une danse rituelle orgasmique sans retenue. Les seins de Julie pointés vers le ciel emmènent Sarah dans une reconquête de sa féminité et l'éloignent du même coup de son cancer. Georges accueille la poitrine de Sarah devenue dure avec une tendresse réconfortante. Les deux sexes sacrés caressent les deux cuisses de Georges tandis que les deux femmes se regardent les larmes aux yeux. Elles n'imaginaient pas se retrouver, après un si long moment d'absence, dans cet élan l'une vers l'autre. Georges laisse un baiser sur les lèvres de Julie et de Sarah en signe de gratitude pour la beauté partagée et disparaît dans la nuit.

Georges regagne son bord de lac pour une nuit au cœur de sa solitude, une nuit de pleine lune où le sommeil n'est venu qu'à l'aube. L'obscurité est belle et la lune si présente, impossible de fermer les yeux. Son corps se réjouit de sentir et son regard s'émerveille. La densité lumineuse remplit le paysage. Il plonge dans l'autre monde, celui des ombres et des fées. La psyché danse entre le rêve et la réalité. La conscience s'éveille à l'illusion du monde et les frontières s'estompent. La présence magique de l'Être règne et révèle la splendeur d'un chemin qui conduit à l'intérieur, s'inscrit dans les étoiles et invite vers le mystère de la création. Être créateur. Nous sommes nés pour créer, pour nous rapprocher de l'amour et de la beauté. Nous sommes nés pour retrouver dans la chair, à travers la souffrance, le chemin de lumière. Nous sommes la signature vivante de la divinité, notre origine première. Nous sommes nés pour être en paix, pour retrouver la voie de l'Un. Homme et femme unis dans la vie, unifiés à travers la mort.

En ce début de journée ensoleillée, Georges, après un sommeil peu réparateur, se laisse aller devant la montagne à la douceur des pleurs de la pluie. La terre a le cœur gros. Il faut que le nuage passe. Il est sensible à la beauté dégagée par les lambeaux de brume qui flottent dans l'air et se frottent à la chevelure des grands pins blancs. Debout comme les ancêtres, ils ont au moins trois ou quatre fois son âge. Ils sont témoins muets, immobiles : le temps passe, ils restent là enracinés.

Georges part en promenade au milieu des bois avec Tham. Ils remontent les pentes, sillonnent les chemins en suivant les repères des inukshuks. Ces empilements de pierres assemblées verticalement font penser à de petits bonshommes. Disposés en divers lieux, ils servent, dans la tradition inuite, à rappeler au promeneur solitaire le chemin et la direction à prendre. Georges aime retrouver ses amis stoïques. Il prend le temps de leur parler. Il lui arrive d'en réparer certains lorsque des parties sont endommagées ou d'en construire de nouveaux pour élargir le cercle d'initiés. Ils ont chacun leur vocation, leur histoire.

Georges arrive maintenant au sommet où il s'immobilise. Ces derniers jours, il a vécu beaucoup d'émotions et il ressent le besoin de s'arrêter. Il rejoint son arbre d'amour, un hêtre à l'écorce gris-argent, majestueux et puissant. Les racines dans la Terre Mère, les branches vers le Ciel Père l'invitent à l'essentiel. Georges colle son ventre et son sexe contre le tronc et enroule ses bras pour faire corps avec son partenaire. Être le canal entre le ciel et la terre et apprendre de cet arbre de plus de quatre-vingts ans. Il aime la sensation et l'énergie. Il crie, jouit et serre l'arbre de toutes ses forces. Tham, surpris, relève la tête entre deux gémissements.

Georges souhaite célébrer. Il a apporté de quoi faire des offrandes aux esprits. Il complète le panier avec des feuilles, des branches et des écorces trouvées sur place. Il a appris l'importance de la générosité des offrandes et à ne pas s'approprier tout ce qui tombe sous la main, sans dire merci, sans honorer le cadeau. Georges prend un soin particulier à les préparer avec patience, amour, intention et gratitude. Les offrandes élèvent l'énergie. Elles transportent l'âme à un autre niveau lorsqu'elles sont réalisées avec attention. Elles ouvrent la porte du mystère et permettent de guérir juste à travers l'énergie : pas de mots, seuls le silence, la pure présence et le cœur ! En faisant ces offrandes, à travers son geste, il souhaite ouvrir une porte. Il remercie Anaïs, Sarah et Julie pour ce qu'il a reçu.

Une fois redescendu de la forêt, Georges décide de rejoindre Anaïs pour partager avec elle le déjeuner.

– Un plaisir, lui dit-elle, de te voir et d'entendre ta voix ce matin dans la légèreté d'être, dans l'envol gracieux qui vient du cœur. Merci pour le bouquet de fleurs débordant de générosité, je l'ai reçu en plein cœur. J'ai besoin de te sentir proche malgré la distance.

La lumière entre à grands flots par les fenêtres de la maison qui respire l'amour. Elle danse dans les myriades de flocons de neige qui tombent et s'envolent à la fois. Georges partage, en toute intimité, avec Anaïs sa dernière rencontre avec Sarah. Il évoque tous ces moments extatiques partagés et le détachement qui s'opère en lui.

– Tu as trouvé le siège de l'âme, lui dit-elle. Mais cette grande âme est encore abritée dans un trop petit corps. Comprends-tu à quel point tu dois te rétrécir pour entrer dans ce corps-là ? Il est grand temps de prendre de l'expansion pour occuper la place de ta vraie nature. Même Tham semble être d'accord et te dit : « Alors qu'est-ce que tu attends ? » Explose et tu découvriras que ta grande maison sera trop petite et que tu devras dormir sous le ciel étoilé : plus de murs, plus de plafond, une rivière traversant le lit. Georges, fais-moi cadeau d'une rivière de lumière !

Georges sent que la journée débute avec force et vigueur. Anaïs pousse encore plus loin ses limites. Elle avait le don de sentir à quel moment accélérer, ne pas s'arrêter et repartir en altitude. Comme si cela ne suffisait pas, elle ajoute :

— Tu as l'intensité du contact désarmant et ton côté sauvage que je sentais au début est maintenant totalement intégré. Ton aisance à créer un contact fin et intime amplifie l'attraction, mais cela fait peur autour de toi. Tu deviens de plus en plus le miroir de l'ombre. Les personnes vont devoir faire leur chemin avec cela. Néanmoins, sois attentif. Le masculin est encore grand et le féminin petit ! L'ego est un pantin dans le vent des émotions. Il accapare, affamé. Il n'est jamais contenté. En errance dans un monde illusoire, il mendie l'amour, alors que la table du festin est dressée. L'ego est emmuré dans les limites du mental.

Pourquoi réduire le feminin à ce point ? Georges a à le laisser grandir et prendre toute la place qui lui revient malgré son cœur déchiré.

— Une fois le féminin déployé, tu n'auras plus ce besoin de vouloir recadrer, renforce-t-elle. C'est à ce moment que tu perds la liberté. Dans ce contrôle, tu interdis l'énergie de circuler. L'aisance existe dans la mesure où tu lâches prise. La déchirure est là : c'est l'endroit où un jour tu as pris la décision pour t'en sortir, pour te protéger. De quelle nature était-ce ?

La question pénètre Georges comme une flèche, jusqu'à la source même de son être. Il sait que la réponse n'est pas verbale. Anaïs lui a appris que les paroles sont comme les flèches, une fois lancées elles ne peuvent plus revenir. Au cœur de la cible, les flèches continuent à faire leur chemin, dans l'immobilité, les paroles aussi. Si la cible n'est pas touchée, alors les flèches et les paroles se perdent. Ce n'est qu'un tir manqué, l'archer n'était pas au centre !

— Deviens le voyageur parfait, celui qui traverse l'espace invisible et silencieux sans soulever la moindre poussière, pour que se poursuive la marche de l'ombre, conclue-t-elle.

Chapitre 6

l est 7 heures passé de quelques minutes. Georges se réveille à l'hôtel après une longue nuit de sommeil. Le décalage horaire le plonge dans une veine de lumière où il surfe sur la vague du temps. Un serveur lui apporte son petit-déjeuner commandé la veille. Georges l'invite à ouvrir les rideaux : il souhaite assister au réveil de la place de l'Opéra. Paris semble déjà bien animée ce matin, constate-t-il. Il entend retentir les klaxons des voitures, traduisant l'impatience des conducteurs. Les façades de l'Opéra Garnier décorées d'or et les toitures aux dômes verdâtres délavés dominent les Grands Boulevards. Elles renforcent l'impression de Georges de se réveiller dans une autre époque et dans un autre lieu.

Georges se sent privilégié d'assister à ce spectacle sous la couette en dégustant un jus d'orange et quelques viennoiseries. Son lac calme en pleine nature est bien loin de ce tumulte urbain. Bien qu'il ait parcouru à ce jour plus d'un million de kilomètres dans les airs et sur terre, Georges reste toujours émerveillé par un nouveau voyage, comme si c'était le premier. Il est de ceux qui ne partent pas mais qui arrivent. Il aime arriver et célébrer la rencontre. La vie ne consiste en rien d'autre que de rencontrer ! Juste passer sa vie à rencontrer pour accepter de se construire mutuellement. Raisonner en nombre de rencontres successives et non en termes de temps de vie passé. Les rencontres d'amour sont celles qui l'ont le plus marqué. Il se lève et jette un regard vers la place et les rues adjacentes. Les scooters se faufilent dangereusement dans le dédale du trafic. Les passants s'engouffrent sous terre pour rejoindre le métro dans une indifférence et un silence inhumains. D'autres rejoignent l'air libre et ne respirent plus vraiment la liberté. Le ciel est nuageux, empli de cette humidité qui transperce les os et donne cette réelle impression de froid.

Georges retrouve Géraldine à proximité du musée du Louvre pour partager le déjeuner. Ils se sont rencontrés lors de son précédent séjour en Europe. Des amis communs les invitèrent en Pays d'Auge le temps d'un week-end. Ils profitèrent du samedi pour explorer la région et emmener en promenade le chien de leurs hôtes. Durant cet après-midi automnal, ils parcouraient une nature boisée illuminée timidement par un coucher de soleil aux rayons jaune rouille. Ils s'étaient sentis proches dès le premier moment. Au retour de leur escapade, ils rejoignirent leurs amis et dégustèrent un Chablis pour célébrer leurs retrouvailles. L'ambiance de la soirée était joyeuse et festive. Les récits de chacun donnaient un relief particulier au repas gastronomique préparé à leur intention.

En fin de soirée, Georges et Géraldine prolongèrent au salon l'échange entamé l'après-midi. Géraldine avait le regard pénétrant et triste à la fois. Elle était passionnée par l'art et la musique baroque, ils aimaient partager leur sensibilité artistique. La maîtresse de maison les avaient installés au second étage dans deux chambres voisines. Georges eût des difficultés à s'endormir et ressentit l'envie de rejoindre Géraldine. Il prit un long moment pour se lever, sortit de sa chambre et se dirigea vers la porte de Géraldine. Il resta immobile dans le noir, juste présent. Il voulait sentir si frapper avait un sens pour lui. Était-ce opportun ? Il respira, sentit son cœur battre de plus en plus fort.

En totale ouverture, il avança la main en direction de la porte en chêne. Avant de poser les doigts sur la porte, il se dit que la réponse n'était pas importante, juste faire ce qu'il sentait à ce moment présent, plonger dans l'expérience et rester disponible. Ce que Géraldine déciderait ensuite ne lui appartenait pas, même s'il sentait qu'il touchait l'espace de sa blessure. Il resta immobile encore un long moment, la main en attente. Il souhaitait sentir plus fort encore le geste avant de le faire. Il frappa délicatement par trois coups. Un long silence suivit le bruit déposé sur la porte. Après quelques minutes, Géraldine demanda qui était là. Il répondit avec tendresse, se souvenant d'un poème de Rumi : « C'est toi-même ! » Géraldine ouvrit la porte. L'un et l'autre restèrent de part et d'autre du seuil de la chambre. Aucun mouvement perceptible, juste un regard intense et une énergie au niveau du cœur.

Géraldine rejoignit Georges sur le palier. Il déposa sa main dans ses longs cheveux et caressa son visage. Elle s'approcha de lui et déposa sa tête sur son épaule. Lorsque les corps se joignirent, Georges fut envahi par une vague de douceur. Il devina, sans trop savoir pourquoi, qu'il avait rendez-vous avec la vie, mais aussi avec la mort. Quel était le sens de ce moment ? Elle l'invita à entrer dans sa chambre. Georges prit du temps avant de pénétrer dans le lieu. Il voulait savourer chaque instant et, en même temps, il avait peur. Ils restèrent un long moment debout au centre de la chambre. Ensuite, ils s'allongèrent, leurs lèvres se rapprochèrent et dans un baiser, leurs âmes se rencontrèrent. Georges frissonna tout le long de son dos. Géraldine portait un pyjama en satin, il aima cette sensation de douceur et le relief de ses formes féminines sous ses mains. Ils se déshabillèrent mutuellement avec tendresse et délicatesse. Tous les aspects de Shiva dansaient en rythme avec la Déesse soyeuse. Georges fut surpris d'avoir repris contact avec sa vulnérabilité. Son sexe puissamment bandé glissa sur le corps de Géraldine tandis qu'il embrassa la pointe de ses mamelons. Il déposa l'extrémité de son gland à l'entrée du sanctuaire et cessa tout mouvement, juste rester à cet endroit et sentir. Ne pas pénétrer tout de suite, attendre le moment propice et accepter le cul-de-sac.

Géraldine invita Georges, au creux de l'oreille, à s'introduire au plus profond d'elle. Ses yeux luisants et le rythme de sa respiration témoignèrent de la forte émotion du moment. Il ressentit également la peur de Géraldine au moment où il se glissa lentement au cœur de sa féminité. Il ne resta qu'un court moment dans son corps, sans aucun va-et-vient. Cette rencontre n'était pas sexuelle, il le savait depuis le début de la promenade dans les bois. Il ne bougea plus, son corps déposé sur le côté droit de Géraldine, sa tête sur son épaule, son genou droit protégeant son sexe.

Ils se réveillèrent le dimanche matin pour prendre le petit-déjeuner avec leurs amis. Ils comprirent très vite que Georges et Géraldine n'étaient plus tout à fait des étrangers l'un pour l'autre.

Ils se retrouvent aujourd'hui dans un restaurant attenant au Louvre. Le choix de ce lieu, *Au Saut du Loup*, interpelle Georges. Les retrouvailles débutent de manière symbolique, le ramenant aux propos échangés avec elle sur les loups. L'instinct sauvage totalement en éveil, il retrouve dans le bonjour et l'étreinte partagés cette sensation de la rencontre sur le palier. Il aime la retrouver, quelque chose a changé. Géraldine lui semble plus épanouie, rayonnante et pétillante. Quelque chose a lâché : est-ce la pudeur ou la peur du premier moment, la peur de cette intimité partagée ?

Ils ont tous deux un plaisir intense à se découvrir mutuellement. Ces passionnés d'art sont au bon endroit pour prolonger ce déjeuner par la visite du musée. Ils n'ont que quelques passages sous-terrains à traverser et les voici sous le Carrousel du Louvre. Dans la galerie des peintures italiennes de la période Renaissance menant à la salle où se trouve le tableau le plus visité du monde, Georges s'immobilise devant une peinture de Giampetrino, *La Mort de Cléopâtre*. Il aime redécouvrir cette œuvre à chaque passage à Paris. Bien des personnes passent inévitablement devant elle, mais peu la remarquent et s'arrêtent.

Ce tableau du XVIe siècle met en scène une femme à la poitrine dénudée. Les seins sont saillants et fermes, son regard évasif, transparent fait miroir et invite à un voyage dans l'ombre. Cléopâtre tient dans sa main gauche un serpent de couleur brune dont l'extrémité du corps s'enroule autour de son poignet, tel un bracelet. Une perle déposée sur le cœur, elle dirige la bouche du reptile en direction de son sein gauche. Le serpent mord la pointe du sein. Dans ce geste, elle se donne la mort. Le visage de la femme détendu et paisible est extatique. Géraldine est sensible au partage, elle ne connaissait pas ce tableau. Elle comprend que ce n'est pas un hasard. Elle prend délicatement la main de Georges, elle est émue par sa grande sensibilité. Elle découvre un homme totalement différent de ceux qu'elle a connus auparavant. Elle ressent une intensité extrême dans les respirations, les gestes et les paroles qu'il prononce. Georges et Géraldine parcourent ensuite les salles égyptiennes et orientales. Le temps s'écoule très vite, à leur grande surprise.

Ils décident de quitter le musée et de prendre un thé à proximité, au *Café de la Paix*. Cela rapproche du même coup Georges de son hôtel, place de l'Opéra. Il aime cette ambiance des grands cafés parisiens. Georges et Géraldine partagent sur les endroits artistiques et les expositions qu'ils ont aimés découvrir récemment.

– Aimes-tu le tableau exposé à Orsay, *L'Origine du monde* ? lui demande-t-il.

Géraldine connaissait bien ce tableau de Courbet et était fascinée par son audace et sa franchise à dépeindre le sexe de la femme.

– Te rends-tu compte qu'il n'est visible publiquement que depuis 1995 et que le sexe était alors présenté avec un cache ? l'interpelle Georges. Ce qui m'apparaît avec force, encore aujourd'hui, est qu'il pose d'une façon troublante la question du regard de l'autre. Il me fait penser même au sourire du sexe féminin. Les femmes ont-elles le sexe souriant ? Si le sexe de la femme est un trou noir, il est dans la galaxie un passage dans un autre monde. Pour pénétrer la femme, l'homme doit accepter de mourir tout comme la femme doit l'accepter également pour être pénétrée. Une voix royale du cœur pointée vers la mort et la naissance !

Géraldine rougit. Elle n'a jamais entendu parler du sexe féminin en ces termes. De quelle planète Georges arrive-t-il ? Il est singulier dans sa manière d'être, pense-t-elle. Elle dépose ses mains dans les siennes et lui dit délicatement son envie forte de le sentir au plus profond de son trou noir. Georges sourit, un long silence s'ensuit, une douce émotion s'installe et ils décident de rejoindre son hôtel.

À travers Géraldine, Georges explore une nouvelle fois le chemin parcouru. Il sait que le premier plaisir de la rencontre est avant tout avec lui. Ouvrir la porte du sanctuaire intérieur pour apprendre d'abord à se déposer dans une relation d'amour avec lui et parcourir un chemin de pardon et de guérison. Georges et Géraldine se retrouvent dans la présence et l'intimité sacrée où le cœur regarde avec émerveillement. Lorsque le pont se crée dans la complicité du cœur, la conscience peut s'éveiller. En contact avec sa blessure, sa façon parfois inadéquate d'entrer en relation, Georges sent qu'une nouvelle porte dans la reconnaissance mutuelle de l'essence masculine et féminine est en train de s'ouvrir, un espace de célébration sexué dans l'alchimie du plaisir. Il est grand temps de sortir du drame pour reconnaître l'opportunité d'être en relation. Changer l'angle de vision pour découvrir le cadeau et, en toutes circonstances, rester au centre entre l'ombre et la lumière. La vie n'est qu'une danse !

Les jours suivants, il rejoint quelques anciennes relations d'affaire, mais le cœur et la motivation n'y sont pas vraiment. Ces derniers mois, il a pris une distance par rapport au monde professionnel. Il sent que prendre le chemin et s'occuper de l'essentiel demande du temps. Tout en continuant à animer des conférences, à apporter son expertise dans différentes organisations, il perçoit qu'il a à inventer autre chose. Dans cette phase transitoire, le plus commode lui semble être d'en faire le moins possible. Démonter une vieille structure et dans le même temps en créer une nouvelle n'est pas commode. Cela ressemble à devoir s'occuper d'une coquille vide, d'une momie tout en préparant la naissance de l'inexistant. Georges ne voit qu'une issue : faire table rase.

Depuis son départ du Canada, Georges prend régulièrement des nouvelles de Sarah. Elle lui a envoyé deux photos. Elle les a intitulées *Un regard sur ton âme*. Son regard puissant est accompagné d'une phrase forte : « Lorsque je ne serai plus de ce monde, je continuerai à te regarder. » Sarah est de plus en plus souffrante et surtout remplie de colère, elle fait face à un nœud. Elle est dans la phase de déni. Lorsque la mort s'approche, il est difficile de faire le bilan de sa vie et le chemin vers soi en peu de temps. Nous ne pouvons nous appuyer que sur ce qui existe. Georges accompagne Sarah et lui permet de s'approcher de la mort pas à pas. Tant que la mort n'est pas là, Sarah est toujours en vie.

Georges passe quelques jours à Paris avec Géraldine avant de repartir au Québec. Ils décident de visiter plusieurs musées. Ils passent de Guimet à Rodin, du Grand Palais au Jeu de Paumes, de Jacquemart à Carnavalet. Géraldine est touchée par le détachement avec lequel Georges aborde le sujet du cancer de Sarah. Elle ressent sa sensibilité, mais quelque chose l'interpelle. L'aisance avec laquelle il parle de la mort lui fait peur. Elle appréhende également son départ. Georges, attentif, observe des signes traduisant sa tristesse et sa peur de l'abandon.

De retour à Montréal, Georges se rend directement chez Sarah. Il la retrouve en pleurs. La tumeur vient de saigner fortement et de transpercer le pansement. Le sang projeté sur toutes les parois de la douche produit un effet de panique chez elle. Il tente pendant trente minutes de la calmer. Le plus délicat reste de nettoyer l'ensemble et de l'aider à refaire son pansement. La douleur est intense et la moindre pression la fait hurler. La masse de la tumeur occupe une grande partie du sein et il devient de plus en plus difficile de protéger la plaie. L'infection gagne du terrain.

Sarah accepte, après plusieurs heures de négociation, de se rendre à l'hôpital. Au moment de rencontrer le médecin, elle insiste pour qu'il reste à ses côtés. Il est ému par la finesse et l'intelligence du médecin qui tente de la convaincre de suivre quelques séances de radiothérapie. Sarah, à bout de force, accepte le traitement. Elle avoue que, durant le séjour de Georges en France, elle avait vécu trois situations équivalentes et la fréquence était de plus en plus rapprochée. Avec un humour détaché, elle lui commente :

– Mon chéri, je vais tellement rétrécir que tu pourras emmener
   ton petit chien de poche avec toi dans tes prochains voyages
   à Paris !

Elle se repose tandis que Georges fait quelques courses pour approvisionner le réfrigérateur. À son retour, il dispose un bouquet de fleurs sur la table de nuit de Sarah. Il commence à sentir l'effet du décalage horaire et décide de s'allonger à ses côtés quelques instants. Sarah glisse sa cuisse droite sur son corps. Il est sensible à sa vibration. Elle glisse une main sur ses cheveux. Elle est heureuse de le retrouver, qu'il soit arrivé au moment opportun. Elle lui demande si la répétition de ses voyages à Paris est motivée par une rencontre avec une autre femme. Georges sourit et s'endort profondément.

La couleur de ce ciel bleu rosé en cet après-midi fait oublier la rigueur extrême du climat. Le thermomètre approche les moins 35 degrés. Georges, réfugié à l'intérieur de la maison, observe la beauté du lac. La glace atteint plus d'un mètre d'épaisseur à ce moment de l'année.

Il aime traverser régulièrement cette étendue gelée en compagnie de Tham, mais aujourd'hui cela est impossible.

Il quitte le lac cette fin de journée. Il a rendez-vous dans la région de la baie James, à plus de mille kilomètres, chez les Cris. Dani, infirmière en poste à la clinique de la réserve amérindienne, l'a invité suite à sa demande de partir en expédition à la rencontre des loups. Elle lui a proposé de lui faire rencontrer sur place un Autochtone pour l'aider dans son projet. Il sait que cette rencontre sauvage, au plus profond de cette nature hostile, est sa prochaine étape : un appel du Grand Nord ! Georges prépare son itinéraire, rassemble le matériel d'expédition d'Himalaya adéquat pour supporter des températures plus extrêmes encore.

Georges a déjà parcouru de nombreux kilomètres. Il aime voyager la nuit. Il découvre la sensation particulière de rouler sur de longues lignes droites enneigées en direction de nulle part. Une solitude bienfaisante l'envahit. À deux heures du matin, sous une demi-lune, il atteint Mistassini, sa destination finale. Il trouve aisément la résidence de Dani où une clef dissimulée à l'extérieur lui permet d'entrer en son absence. Quelques heures de sommeil lui suffisent pour récupérer de ce long périple.

En fin de matinée, il se dirige vers le centre du village et retrouve l'infirmière à la clinique. Dani est heureuse de sa présence. Ils décident d'aller manger à son appartement. La porte franchie, elle découvre avec surprise le matériel déposé dans l'entrée. Ne sachant pas vraiment à quoi s'attendre, il a emporté avec lui tout son équipement de survie. Ce serait dommage de rebrousser chemin à cause d'un oubli ! Dani aurait aimé l'accompagner, mais elle ne peut quitter son poste en cette période. Georges sourit et lui explique qu'il s'en trouve chanceux car il souhaite faire ce voyage chez les loups seul, totalement seul. Il ne sait pas encore quelle forme prendra son voyage, mais la vie fera bien les choses.

Dani l'invite à contacter William, un Amérindien cri qui possède un camp encore plus au Nord et qui pourrait être disposé à l'y conduire. Georges laisse plusieurs messages à divers endroits pour rejoindre William et attend patiemment chez Dani. Il a laissé suffisamment de signes lisibles sur la piste. Une journée passe, une seconde commence, Georges ne voit rien venir. Il profite de cette nouvelle matinée pour trier le matériel, cuisiner des rations de nourriture avec les aliments achetés au centre commercial. Il décide d'explorer en raquettes les abords du lac gigantesque de Mistassini. Il fait très froid, son nez et ses joues gèlent en à peine une demi-heure. Régulièrement, il se met à l'abri pour se protéger et se réchauffer.

Georges découvre une série de huttes circulaires amérindiennes. Il pousse la grosse couverture tendue en guise de porte de la première et l'explore. L'espace est accueillant. Des branches de sapin tapissent le sol et confèrent au lieu un climat chaleureux. Bien qu'il n'y ait aucun chauffage, la température intérieure est agréable et le contraste avec l'extérieur fulgurant. Georges s'assied, s'allonge, respire l'odeur de sapin et médite. Le voyage a commencé ! Respectueux de cet espace autochtone, il prend quelques minutes pour comprendre la conception de ce bâtiment de fortune. Apprendre avant de partir. Georges ne souhaite pas s'attarder avant la tombée de la nuit. Il revient à l'appartement où il trouve un message accroché à la porte. Cette note lui demande d'appeler un numéro de téléphone, signé William. Georges sourit : la suite du voyage se déploie.

Le soir même, les deux hommes se rencontrent. William ressemble à un grizzly. Dani ne s'est pas trompée, Georges sent que c'est la bonne personne pour l'aider.

– Que viens-tu faire ici ? lui demande William.

L'homme connaissait la réponse, mais il souhaitait sentir Georges, le tester. Ce dernier lui communiqua son intention de vivre quelques jours seul, isolé dans la nature, et si la vie était généreuse, d'approcher des loups. Aux dires de Dani, il y en a beaucoup dans la région. William rit.

– Tu veux rencontrer des loups comme ça ! Pas si simple, ajoute-t-il. Le froid dépasse les moins 50 degrés et il est dangereux de rester dans ces conditions au camp. Quatre jours, c'est long ! De plus, tu seras seul, je ne peux rester avec toi tout ce temps. Je devrai te conduire et te récupérer à la fin du séjour. De plus, je ne suis pas sûr qu'on puisse se rendre à la cabane à cause des dernières chutes de neige.

Georges ne se démonte pas. Il lui explique l'importance de vivre cette aventure à ce moment de sa vie. Et pour le rassurer, il ajoute avoir l'habitude de vivre dans des conditions extrêmes en relatant ses dernières expéditions en Himalaya, en Cordillère des Andes et ses périples en motoneige. Pointant du doigt le matériel adapté qu'il a emporté, il démontre son expérience à vivre en situation glaciale. William tourne le visage vers Georges et accueille ses arguments avec délicatesse.

– D'accord, lui répond-il. Demain je t'emmenerai à sept heures.
Nous aurons une longue route à faire et le dernier tronçon
se fera en motoneige. N'oublie pas de faire tes provisions !

Heureux, Georges sourit, sent son cœur battre, se lève, serre la main
de l'homme et le remercie avec une telle verve, comme s'il avait déjà
fait l'aller-retour. Il a gardé de l'enfance le sens de l'émerveillement.
Il aime vibrer aux choses vraies, simples et nouvelles.

Georges emballe les rations préparées la matinée et dispose le matériel
sélectionné dans les deux coffres de rangement hermétiques. Il souhaite
n'apporter que l'essentiel. Tout est placé près de la porte d'entrée. Il
attend Dani pour célébrer son départ. Il prend place dans un canapé
confortable du salon, écoute une musique venue d'un autre monde qui
le transporte déjà à destination. Il voit sur la table de salon quelques
livres posés en pyramide. La couverture d'un mensuel attire rapidement
son intention : une falaise de Patagonie. Il saisit le magazine et le
feuillette avec intérêt et plaisir.

Soudain, une page publicitaire le frappe en plein cœur. Pourquoi
cette page, à ce moment, avant de partir chez les loups ? Il ferme les
yeux et va sentir au plus profond de lui le sens du message. Georges
ouvre les yeux à nouveau et regarde avec attention : une paroi d'escalade
montagneuse, des conditions difficiles, un brouillard et une tempête
de neige. Une personne se tient debout et assure la sécurité du premier
de cordée dont la présence se devine. La corde part de son ventre, à
hauteur du baudrier, en direction du partenaire absent. Le slogan en
haut de page : *Je remercie toutes les femmes de m'avoir montré le chemin* !

La gorge serrée par une telle synchronicité, Georges pleure. Il commence à voir défiler les visages des femmes rencontrées au cours de sa vie. Dani ouvre la porte. Elle s'avance, l'embrasse et dépose sa tête sur son épaule. Georges, d'une voix tremblante, la salue sans plus. Il prend le magazine à la page choc et le dépose silencieusement sur les genoux de Dani. Émue, elle se redresse, fait pivoter son corps et lui fait face. Elle dépose alors ses mains sur sa poitrine et ressent sa force fragile. La sœur louve a compris ! Georges se rapproche. Dans une étreinte, leurs corps fusionnent. Une grande sensualité dans un espace de beauté, la rencontre de loups alpha avant de partir en direction d'un autre territoire.

Georges voit à travers Dani toutes les femmes rencontrées dans le passé. Toutes celles qu'il a blessées par inconscience, par imprudence, par orgueil, par arrogance, par manque d'écoute, par ego, par suffisance, par peur de réveiller sa blessure d'amour. Combien de rencontres nécessaires pour comprendre, pour commencer à sentir et prendre la piste ? Il est empreint envers Dani d'une gratitude incommensurable pour lui avoir permis d'être ici à ce moment, d'avoir été l'artisane de son projet d'expédition. Elle est emplie d'amour pour lui. Cette porte ouverte sur le cœur crée un espace magique d'ouverture entre eux et permet à la vie de s'écouler. Un réveil radieux dans la force du désir jamais assouvi, un désir propulsant vers des cieux sans limites à condition de garder des racines profondes dans la terre. Ancré dans la force de vie, il permet de se tenir debout avec le sentiment qu'au moment de la mort, la force du désir conduit à la lumière et rend possible la divine rencontre, enfin ! Georges et Dani passent la nuit l'un contre l'autre, cœur à cœur, sexe contre sexe, juste dans un espace de guérison vibratoire et préparatoire pour Georges à la rencontre du « je ne sais pas ».

William est ponctuel, il est sept heures. Georges est prêt. William charge l'essentiel du matériel dans son véhicule pendant que Georges termine sa tasse de café, remercie et salue Dani. Ils prennent la route pour la baie James. Le brouillard matinal enveloppant des étendues de toundra enneigées procure une sensation d'immensité et de grande solitude. Le gros camion et la remorque supportant la motoneige traversent des territoires totalement isolés. Une panne de voiture n'est pas souhaitable dans ces contrées reculées, se dit Georges. Il aime se retrouver dans ces espaces où ce qui doit arriver arrive, où l'humain ne peut afficher qu'humilité au regard de sa petitesse et de sa fragilité face à la nature triomphante des éléments.

William découvre Georges durant ce voyage et il aime ce qu'il voit. Il a accepté de l'emmener car il sentit son authenticité, son courage et sa force. Il apprécia aussi son respect et son ouverture à la différence. Lorsqu'il avait annoncé le projet de Georges à ses amis cris, ils l'avaient trouvé fou et inconscient. Ils étaient persuadés qu'à l'issue des quatre jours au camp, William le retrouverait mort gelé. En guise de réponse, il avait souri et suivi son intuition.

Après plusieurs heures de route, William stoppe le véhicule sur le bord de la route qui continue à perte de vue. Il annonce qu'il est temps de débarquer. Le camion n'ira pas plus loin, l'étape motoneige débute. Il fait très froid, le thermomètre du camion indique moins 52 degrés. Georges revêt sa combinaison en duvet, s'équipe pour protéger tête, pieds, mains : l'heure du rendez-vous a sonné ! Il se sent comme un coureur, sur le bord de la ligne de départ, prêt à bondir au coup de pistolet pour entamer son tour de piste.

La neige est profonde. William propose de déposer Georges dans un premier temps avec une partie du matériel, puis de faire un second voyage seul. Cela obligera William à faire quatre allers-retours, dont trois voyages l'un et l'autre séparés par le sort en cas de problème, se dit Georges. Il enfourche la motoneige et s'installe derrière William. Georges n'a pas de casque, seulement un bonnet et une cagoule. Il ne s'attend pas à vivre un des moments les plus givrants de sa vie ! La motoneige plonge dans les creux du chemin en projetant à sa face la neige poudreuse. Alors qu'il protège son visage avec ses mains, il risque l'éjection de la motoneige lors d'un rebond sur une roche. Il évite de justesse la chute et se raccroche par les bras à la taille de William qui découvre qu'il a failli perdre son passager.

La neige glacée lui colle tellement au visage que Georges a l'impression de devenir une homme givré prêt à l'hibernation. Dans un bref moment d'accalmie, il pose sa cagoule sur l'ensemble de son visage, la seule solution logique. Il a plus chaud mais, ne voyant plus rien, il rebondit maintenant sur la piste dans un trou noir. Il s'en remet totalement au conducteur, que peut-il faire d'autre ? Il fait corps avec son ami sur la machine trépidante, le ceinturant fortement et se cachant la tête contre les omoplates de son guide.

William annonce à Georges l'arrivée au camp. Il ne sait le temps que cela a pris, mais le trajet lui a semblé long. Il relève la tête et enlève sa cagoule : il retrouve la lumière. Ses yeux font des étincelles givrées. Il a froid, mais il est heureux d'être là. La vue sur le camp est superbe : la piste enneigée descend en direction de la cabane pour remonter dans une courbe majestueuse de l'autre côté. Un pont de bois permet de traverser un lac gelé. William immobilise sa motoneige devant la porte. Les bagages déchargés, Georges sent que les bouts de ses doigts et de ses orteils lui font mal, un début de gelure sans doute. Il s'active, tape des pieds et des mains, fait des bonds sur place pour remonter la température de son corps. Il sait que les extrémités gèlent afin de protéger les organes vitaux. Remettre en route au plus vite la circulation devient alors vital. William ouvre difficilement la porte, il semble affecté. Le trajet a été éprouvant pour lui aussi. Son visage figé présente quelques marques brunâtres à divers endroits sur les joues et le front. Le voyage commence fort. Une fois à l'intérieur, les deux hommes saisissent quelques bûches de bois rangées dans un coin de la pièce et allument un feu. Il faudra plus d'une heure avant de pouvoir se dévêtir et profiter de la chaleur naissante. William reprend la route. Georges, inquiet pour lui, regarde son ami cri s'éloigner. Il entretient le feu. Bien que le bois soit entreposé à l'intérieur, chaque bûche saisie est givrée, l'eau contenue dans le bois n'a pu résister. Georges n'avait jamais observé un tel phénomène et retient son devoir de vigilance pour la sécurité des prochains jours.

Le temps s'égrène et, durant l'attente, Georges approche la table du foyer. Il prend son journal, choisit une page blanche et commence à rédiger. La découverte du message de la veille fait son chemin. Il écrit un premier prénom féminin, un second et ainsi de suite. Il suit naturellement un ordre chronologique. Il veut sentir l'enchaînement, comment chaque rencontre de femme prépara la rencontre suivante. Quelle est la suite logique de ces rencontres ? Quel est l'enchaînement ? Y a-t-il une chaîne ? Si oui, laquelle ? Quel est le lien entre elles ? Lui bien entendu, mais il souhaite aller au-delà. Seul dans cette cabane du bout du monde, il se connecte au plus profond de son être. La liste se prolonge, il voit les visages apparaître. À chacun d'eux, il accroche des images, des mots, des situations, des rencontres, des adieux légers, douloureux ou extrêmes.

Georges entend le bruit de la motoneige de William. Deux heures se sont écoulées depuis son départ. Georges l'accueille sur le pas de la porte et l'aide à entrer le matériel. Son visage est brûlé par le froid. Georges ouvre sa pharmacie et lui donne une crème à étendre sur ses joues et ses lèvres afin de protéger ce qu'il reste encore de peau. William convient de repartir au plus vite, avant que la nuit ne le rejoigne et que la température descende encore. Il le reprendra, comme convenu, dans quatre jours. Il jette un dernier regard autour de lui pour s'assurer que Georges a tout ce dont il a besoin, il le serre dans ses bras et quitte la cabane. Le bruit du moteur s'éloigne.

Cette fois, Georges est seul, définitivement seul au milieu de rien. Si William oubliait ou ne pouvait revenir le chercher, personne ne sait où il est, pense-t-il. La situation lui semble plus extrême qu'en Himalaya où le groupe était à proximité en cas de problème. Georges s'enduit à son tour le visage de crème, puis enrobe ses lèvres d'un baume protecteur, met ses chaussures isothermiques à double coques, enfile sa combinaison en duvet, revêt ses mitaines, passe son bonnet et remonte sa capuche. Avant de sortir, il a pris soin de placer quelques bûches dans le foyer pour garder une température intérieure agréable à son retour.

Georges explore les alentours du camp avant le coucher imminent du soleil. Il descend la pente et se dirige vers le pont qui sépare le lac en deux. Il y reste un long moment, effectuant plusieurs tours panoramiques sur lui-même. Il poursuit la reconnaissance des lieux et se dirige vers un terrain vallonné. Il se garde bien de prendre des chemins de traverse. Il reste sur le sentier principal et n'a pas envie de s'égarer. Ses pas s'enfoncent dans la neige avec un léger crissement sous les semelles. Il n'a pas eu besoin de chausser les raquettes tant la neige est croutée.

« Deviens le voyageur parfait, celui qui traverse l'espace invisible et silencieux sans soulever la moindre poussière. » Cette phrase d'Anaïs résonne dans sa tête tandis qu'il décide de retourner vers la cabane. En se retournant, il découvre le camp au loin et repère la fumée s'échappant de la cheminée. Les loups savent maintenant qu'il est arrivé à destination. Ils doivent sentir ma présence à des kilomètres, mais l'inverse ne l'est pas, se dit-il, sans oser trop sourire tant les lèvres lui font mal. Il est heureux de cette première sortie exploratoire dans cet espace de vie qui devient le sien pour quatre jours.

La première journée touche déjà à sa fin. Georges est content de retrouver son abri pour la nuit, de se dévêtir avant de rejoindre le foyer. Il prépare un thé avec un peu de miel. Il n'a pas très faim. Il reprend sa liste de l'après-midi. Il ne recherche pas l'inventaire exhaustif, juste poser ce qui vient avec le cœur. D'autres prénoms féminins émergent. De temps à autre, il indique une petite flèche de renvoi lorsqu'il lui semble avoir commis une erreur de chronologie. À d'autres moments, il sourit en découvrant que certains prénoms se placent sur une même ligne horizontale : les rencontres simultanées ! Georges se souvient une nouvelle fois du propos d'Anaïs lui nommant la cadeau magique d'avoir pu s'éclater à ce point dans sa sexualité, une étape nécessaire pour entreprendre un tel chemin. Ces mots résonnent encore en lui tandis qu'il continue à voir des visages apparaître. Il est surpris de la longueur de la liste et de la qualité de sa mémoire. Il en a le vertige. À côté d'elle, Georges dépose la feuille arrachée dans le magazine chez Dani le matin même. Il l'avait mise dans sa poche, le signe était d'une telle force. Lui vient alors l'intention d'honorer toutes ces femmes, de les remercier, de leur demander pardon. Il ne sait pas encore comment. Cela viendra plus tard.

Georges se glisse dans son sac de couchage, sans omettre de charger le foyer de bois pour la nuit. Sa quête de vision au pays des loups prend une direction inattendue. Il s'endort très rapidement et se réveille avec la lumière du jour. Il sort les bras de son duvet où est encore emprisonnée toute la chaleur bienfaisante de la nuit. Il comprend rapidement que le feu s'est éteint. Les vitres sont totalement givrées et il fait très froid à l'intérieur de la cabane. Il ne saisit pas pourquoi la charge de bois n'a pas été suffisante pour tenir jusqu'au matin. Une demi-heure lui est nécessaire pour rallumer le feu avec une certaine difficulté, le bois est gorgé de fins copeaux de glace. La tâche lui demande expertise et énergie.

À son grand désarroi, Georges découvre la nourriture et les bouteilles d'eau gelées. Dans l'attente de la chaleur retrouvée, il retourne se blottir dans le sac de couchage et finalement se rendort. En fin de matinée, il se lève, fait fondre un repas sur la plaque supérieure du foyer, heureux du retournement de situation. Il passe une bonne partie de l'après-midi à bâtir une réserve de bois, la faisant sécher autour du foyer pour ne pas être surpris comme la nuit précédente. Il alimente le feu régulièrement et lui fait des offrandes. Il chauffe tellement fort l'espace que la buse d'évacuation rougit de manière intense. Il partage son temps entre la lecture, la méditation, l'écriture et la préparation de son rituel de nuit.

Homme des bois, Georges sait que la nature est un grand enseignant. Il a à retrouver les racines sauvages coupées à la hache par la raison dominante. Celle-ci subjugue le cerveau et éloigne de l'imaginaire et du pouvoir créateur. Retrouver son souffle dans le plaisir et la confiance ! Georges sent le loup en lui, son énergie l'habite et il est ici pour retrouver la meute. Dans la tradition amérindienne, le loup incarne la lumière primordiale. De nature solitaire, cet animal apprend le détachement tout en conservant des liens serrés avec son entourage. Maître et enseignant, il accompagne le chemin des autres juste le temps qu'il faut. Il est aussi celui qui innove et qui découvre les nouveaux secrets pour les partager. Éclaireur, le loup va au-devant des autres pour choisir la meilleure route.

Cette nuit de pleine lune, Georges a décidé d'appeler ses frères loups et sœurs louves pour célébrer les retrouvailles et honorer le chemin. Il passe la soirée à préparer ses paniers d'offrandes au feu. Il rédige sur plusieurs morceaux de papier ce qu'il souhaite abandonner. Ce avec quoi il ne repartira pas d'ici, ce qui va mourir au milieu de nulle part. Il est 23 heures, Georges prépare son bâton de sagesse habillé de poils de loup et de plumes. Il y attache son collier de turquoises, prend deux hochets construits avec des carapaces de tortue et des pattes de chevreuil. Tout est prêt. Il s'habille très chaudement car, comme l'après-midi, la température est extrême.

Georges sort en emportant tous ses objets rituels, sans oublier la liste de prénoms, la publicité et une bougie. La lune est claire, argentée. Le ciel, totalement dégagé, célèbre son arrivée. Il choisit le pont de bois pour s'arrêter et fixer le lieu de célébration. Il dépose des fanions de couleur dans les quatre directions. Au centre, il place une chandelle qu'il allume. Il sait qu'à cette température, il ne pourra pas rester longtemps. Il regarde d'abord vers l'Est, pousse des cris aigus. Ensuite, il entame un cercle dans le sens des aiguilles d'une montre et danse en faisant plusieurs tours. Il renouvelle de temps à autre ses cris perçants. Puis, il s'immobilise au centre, près de la bougie. Sa lampe frontale éclairant la liste de prénoms, il lit à voix haute chacun avec force, puis se déplace d'un quart de tour de manière à attribuer une direction à chaque femme. Au fur et à mesure des rotations, il sent monter en lui la tristesse. Tous les visages tournent avec lui autour de la bougie. Elles sont toutes présentes.

Après avoir hurlé son chagrin, Georges exprime sa gratitude et revient au silence. Il regarde la lune et la lune regarde l'androgyne. Chaque respiration envoie un jet de vapeur blanc dans le ciel tellement la condensation est intense. Il dépose les deux genoux au sol dans la neige, toujours au centre du cercle, le bâton de sagesse à la main. Il regarde la flamme et prononce doucement neuf fois : « Je suis désolé. » Après un moment de silence, il saisit les deux hochets, les secouent hardiment, comme s'il voulait porter son message de désolation aux oreilles de toutes ces femmes aimées. Il est minuit, Georges se relève. Il hurle aux loups d'un son strident et déchirant qui remplit la nuit. Il reproduit ce gémissement plusieurs fois. Entre chaque salve, il attend et écoute le silence. Les loups répondront ou non, il ne sait pas.

Georges commence à avoir très froid. Il rassemble ses objets et décide de rentrer. Une fois déshabillé, il s'approche du feu pour boucler le rituel. En face de lui, le panier contient la liste des Biens-Aimées et ses intentions rédigées en fin de journée. Il les dépose dans le feu, une à une, avec attention et présence. Il honore la vie de lui permettre d'être l'homme qu'il est, s'agenouille avec humilité et se relève avec grâce. Il pense à Anaïs, il sait que le retour est proche et la rencontre sera différente. Georges se couche avec légèreté. Cette nuit restera ancrée dans sa mémoire.

Le lendemain, expérience aidant, Georges se réveille dans une chaleur agréable. Il prend son repas et fait fondre de la neige pour préparer un thé. Il sent le passage de la nuit. Il regarde le pont du rituel, il se souvient de ses cris aux loups. Soudain, il entend le bruit d'un moteur au loin. Il regarde par la fenêtre et reconnaît la motoneige de William. Il est de retour avec un jour d'avance. Après s'être vêtu chaudement, Georges, content de revoir son ami, se précipite à l'extérieur pour l'accueillir. William retire son casque, s'approche de Georges. Heureux de retrouver son protégé sain et sauf, il le prend dans ses bras.

   — Je suis venu plus tôt car j'étais inquiet, lui confie-t-il. Tous
      mes amis me disaient de venir te rechercher, que j'allais te
      retrouver mort de froid. Une chose est certaine, toute la
      réserve sait qui tu es et que tu es fou ! As-tu vu les traces de
      loups autour de la cabane ?

Cette question frappe Georges en plein cœur. Les loups ont entendu son appel. Ils sont venus ! Il ne les a pas vus, mais ils étaient présents après sa danse rituelle. Il se dirige vers les traces indiquées par son ami cri et s'agenouille pour honorer le passage. William l'observe, touché par son intensité. Georges part un jour plus tôt, la boucle réalisée.

Après une soirée chaleureuse, reconnaissante et riche en partage avec Dani et William, Georges repart vers le sud au petit matin. Il souhaite arriver pour célébrer l'anniversaire d'Anaïs. Le soleil est bas et intense, les conditions de route sont bonnes et Georges déroule les kilomètres avec aisance. Il glisse sur un tapis magique et savoure le chemin du retour.

Chapitre 7

Anaïs est surprise. Elle ne s'attendait pas à le retrouver si vite. Georges est marqué physiquement par l'aventure qu'il vient de vivre chez les loups. Il est amaigri, son visage est grillé par le froid, ses lèvres sont gercées. Anaïs sent la force de son énergie, telle une louve. Soixante-quatre ans, le jour de son retour. Une fois installé dans le salon avec une tasse de thé, Georges lui commente son aventure, son rituel, sa boucle de guérison.

— Tu deviens le voyageur parfait, celui qui traverse l'espace invisible et silencieux sans soulever la moindre poussière, lui dit-elle.

Georges sourit et lui raconte que cette même phrase lui est revenue durant sa marche sur le territoire des loups. Répété une nouvelle fois, le propos lui donne la mesure et, en même temps, l'invite à le regarder comme un point de vigilance.

— J'ai soixante-quatre ans aujourd'hui. Sachant d'où tu viens, le jour de mon anniversaire prend une tout autre saveur. Soixante-quatre chandelles allumées avec soin pour éclairer dans la nuit chacun des aspects de la Déesse. Je vois une vieille femme au centre de la plate-forme du temple de Kajuraho, soixante-quatre niches vides, les soixante-quatre déesses ont été arrachées à leur sanctuaire de pierre par des mains avides. Dans chacune des niches, cette vieille femme place une chandelle, en souvenir d'une nuit de pleine lune. Elle se souvient, trente ans auparavant, avoir offert son corps à la danse de chacune des déesses. Elle était née femme, soixante-quatre fois, dans le tourbillon d'une roue rayonnante. Cette nuit-là, elle avait été initiée à l'essence du féminin dans toutes ses dimensions. Aujourd'hui, je contemple la splendeur du voyage accompli et remercie la Grand-Mère pour m'avoir montré le chemin de lumière et de liberté à travers le corps orgasmique. Je remercie la Grand-Mère pour la danse dans l'ombre et la lumière.

Georges, ému, se rapproche d'elle et lui remet un petit coffret indien, une boîte du Cachemire ramenée d'un voyage passé. Anaïs, surprise et attentive, s'assied, l'ouvre délicatement. Elle y découvre un peu de cendre et un échantillon de poils de loup. Elle relève la tête, sourit et plonge son regard dans les yeux de Georges. Elle ne pose pas de questions, ne fait aucun commentaire sur ce qu'elle vient de découvrir. Elle sait !

– Georges, ton séjour au pays des loups est un voyage important. Il va te permettre de faire maintenant des choix déterminants, d'aller davantage dans la dimension chamanique, en pleine nature.

Adolescent, Georges était très proche de la nature. Son installation sur le vaste territoire canadien ressemble de moins en moins à un exil. Il sait qu'il a à reconnecter au plus profond de ses racines. Il doit retourner à la source. Il connaît le chemin et la danse avec l'existence.

Georges célèbre l'anniversaire d'Anaïs avec sobriété. Il a parcouru une longue route de retour et a hâte de rejoindre son lit après cette aventure dans le Grand Nord. Il souhaite regarder seul le sens de ce voyage avant de repartir, dans quelques jours, en Europe.

À son arrivée en France, Georges et Géraldine rejoignent Deauville pour être totalement disponibles l'un à l'autre. Ils marchent sur les planches de bois de la plage déserte en ce début de semaine. Ils la parcourent d'un pas alerte jusqu'à Trouville. Ils hument les embruns et aiment sentir le vent décoiffer leur chevelure. Ils parlent peu, respirent à pleins poumons cet air puissant et prennent le temps de se retrouver. Georges pense à Sarah, elle qui s'imaginait finir ses jours paisiblement au bord de la mer. Seulement, elle s'y voyait plus âgée. Qu'importe, le temps n'existe plus. Maintenant, elle doit renoncer à ce rêve et s'abandonner avec confiance. Au retour de leur promenade, Georges et Géraldine rejoignent leur hôtel, une bâtisse normande typique avec ses colombages et son toit de chaume. Leur chambre offre une vue panoramique sur la plage et leur procure la sensation d'un espace protégé. Ils se connaissent maintenant depuis plusieurs mois et se retrouvent à chacun des voyages, de plus en plus fréquents, de Georges en Europe.

Géraldine, jeune femme de quarante ans, est intelligente, brillante et sensible. Quelques mois avant de rencontrer Georges, son appartement avait été cambriolé. Elle n'en a parlé à Georges que récemment. Endormie à l'étage supérieur, elle n'avait rien entendu. Le réveil, au matin, fut brutal. Elle vécut cette intrusion comme un véritable abus, une réelle violation de son intimité. Depuis, Géraldine a un grand besoin d'être rassurée, une nécessité de reconstruire une zone de confiance avec les personnes qui l'entourent. À cette occasion, une blessure ancienne de la peur des hommes a refait surface. La première nuit, Georges l'avait ressentie. Il avait touché aussi la peur de Géraldine de s'abandonner totalement et son besoin de rester en contrôle. Une part de son inconscient a rendez-vous avec Géraldine. Le samouraï plonge dans sa vulnérabilité, sans armure. Il ne sait pas quelle forme cela prendra, mais le chemin passe par là.

Depuis le début de leur rencontre, Georges partage avec Géraldine, en toute transparence, la nature de son cheminement. Il lui parle d'Anaïs, de Sarah, de ces espaces particuliers partagés avec ces femmes, de la mort, de la maladie. Attirée par lui, Géraldine compose avec cette réalité. Elle sent aussi que cette rencontre a un sens sur son chemin, sans pouvoir le nommer. Au fil des voyages, ses facettes les plus sombres se révélèrent les unes après les autres. Successivement aux nombreux départs de Georges, sa peur de l'abandon se manifesta par des attitudes agressives à son égard. Géraldine eut tendance à dramatiser tout événement qui lui semblait, à lui, insignifiant. La rencontre des inconscients commença à prendre toute sa force !

Le chemin accompli avec intensité et sans compromis avec Anaïs, le retour de l'Himalaya, la présence de la mort dans le vagin de Sarah, les larmes du samouraï, la traversée de l'ombre et le récent voyage chez les loups amènent Georges au plus profond d'une vulnérabilité naissante face à Géraldine. Son cœur est sur le point d'exploser et les amarres sont en train de lâcher. Ces derniers mois, la vie l'a poussé sur le terrain du regard de soi avec une telle puissance ! Georges, avec sa naturelle gourmandise de plonger dans toutes les situations, parfois à la méthode kamikaze, se sent propulsé à la vitesse de la lumière, de porte en porte. Cela n'est pas très reposant, mais peut-il faire autrement ?

Géraldine accepte de moins en moins la distance géographique entre eux et veut l'amener dans un cadre qui la sécurise. Certes, une part d'elle a confiance en lui, mais l'autre partie l'agresse et le défie. Elle comprend, avec souffrance, que la partie qui la dérange le plus n'est qu'une partie d'elle-même. Elle voit son propre conflit et sa guerre intérieurs.

Georges ne peut plus échanger avec elle ce qu'il vit au quotidien avec la même liberté et la même aisance qu'auparavant. Une partie de lui n'a pas le droit d'exister. Par le passé, il serait parti. Cette fois, il apprend en restant. Il sait qu'il se retrouve au creux de sa blessure. Il a vu en Géraldine la femme qu'il imaginait et non celle qu'elle était, expression de sa faille. Entraîné à rester au centre en toute situation, Georges se trouve au bon endroit pour en ressentir la mesure. Lui qui aime maîtriser les situations, il a choisi le bon terrain de jeu pour trouver plus dirigiste que lui. Il se souvient alors d'un échange avec Anaïs : « Quand tu contrôles, c'est à ce moment que tu perds le contrôle. » Cette rencontre l'amène au cœur de son dilemme : cesser de travailler fort pour être aimé et arrêter de faire semblant de ne pas avoir besoin des femmes.

Ce séjour en Normandie le propulse aux antipodes de ce qu'il a vécu lors de sa quête de vision sur le territoire des loups. Il sent l'enchaînement de ces deux moments de vie qui l'amènent de la baie James à Deauville. Il se remémore toute la puissance et la force du rituel de pardon aux femmes dans lequel Géraldine était présente. Maintenant, il est face à elle. Il a besoin de partager avec elle ce qu'il a vécu là-bas et de regarder quelle est la part d'ombre qui l'amène au cœur de cette relation.

Avant de regagner Paris, Géraldine l'emmène visiter quelques haras dans cette région gâtée par la nature. Adolescente, les chevaux avaient été sa passion. Géraldine aime encore monter à cheval de temps à autre. La tension semble s'être dissipée. Géraldine prend dans la boîte à gants de la voiture une queue de cheval, coupée il y a plusieurs années. Elle est heureuse de l'offrir à Georges. Connaissant son intérêt pour les objets rituels, elle sait qu'il en fera quelque chose.

Le lendemain, un événement déclenche une remontée d'adrénaline. En regardant des photos prises par Georges, Géraldine ne se reconnaît pas. Elle lui explique que si elles ne lui ressemblent pas, c'est parce qu'il ne la voit pas. Le miroir est fort et tournant ! La crise est proche. Georges reste centré, mais il est blessé. Il traverse l'Atlantique pour la rejoindre, à un moment fragile de sa vie, et il ne la voit pas !

Le retour silencieux à Paris le plonge dans un regard intérieur. L'arrimage amoureux au niveau inconscient avec Géraldine fait apparaître encore des fils. Il sent que cette rencontre se termine et, en même temps, quelque chose le retient. Il n'a pas fui, mais il est encore présent dans cet amour illusoire. Géraldine l'aime et ne le choisit pas. Elle en est incapable par ailleurs, elle attend de lui qu'il prenne la décision de mettre un terme à la relation. Il sent le pivot de vie qui lui reste à faire : cesser d'être l'amant de sa mère, accepter son impuissance dans la recherche non résolue de son bonheur et regarder pourquoi sa grande sensibilité n'est pas reconnue.

La vie fait que Georges et Anaïs sont tous deux de passage en France à la même période.Ils se retrouvent à Paris, le rendez-vous est fixé à l'entrée de la cathédrale Notre-Dame. Anaïs arrive la première, lui quelques instants plus tard. Le regard complice, l'absence de mots, le plaisir d'être face à face, ils se rapprochent et s'étreignent. Georges fait quelques pas, s'arrête sur le parvis de la façade ouest et montre à Anaïs un pilier sculpté représentant les sciences médiévales. Cette sculpture miniature symbolise l'alchimie. Une femme est assise sur un trône, sa tête effleure les nuages. Elle tient une échelle à neuf échelons entre ses cuisses, touchant son sexe et prenant appui sur ses seins. Cette statue ne peut mieux saluer leurs retrouvailles.

> – J'apprécie la distance qui nous permet de nous rencontrer ailleurs, lui partage Anaïs. La distance branche sur le souffle de vie et permet d'apprécier notre différence. Elle devient une richesse à partager, un univers à découvrir, une aventure à vivre, pas à pas sur une terre inconnue où nous prenons racine dans la confiance, jour après jour.

Ils pénètrent à l'intérieur de la cathédrale. Georges commente ça et là ce qui se présente sur leur passage, comme s'ils cherchaient des indices pour un jeu de piste. Il sent Anaïs quelque peu troublée. Ils décident de s'asseoir côte à côte dans une petite chapelle intérieure en retrait. Georges, en respect du silence attendu dans un tel lieu, parle doucement au creux de son oreille. Placée en arrière d'eux, une personne le rappelle à l'ordre par un chut magistral. Il sourit, Anaïs aussi et ils respirent. À leur surprise, la personne irritée bondit et quitte l'espace avec détermination. Alors que Georges et Anaïs méditent, un religieux surgit soudainement dans la chapelle. Tel un agent de sécurité, il pointe Georges d'un doigt inquisiteur et l'invite à sortir invoquant l'avoir vu parler. Georges sort de son silence et lui confirme qu'il n'en est rien. Le religieux insiste et le menace. Georges, miroir de l'ombre, lui rétorque qu'il est de mauvaise foi ! À cette réplique, Anaïs ne peut contenir un éclat de rire, produisant une vibration sonore qui emplit la chapelle. Offusqué, le religieux quitte l'endroit d'un pas rapide. Comme à l'habitude, Georges et Anaïs, ensemble dans un même espace, déclenchent une réaction forte et rapide de l'entourage. Leur visite sacrée prend fin subitement.

Ils se dirigent vers un restaurant où ils commandent un plateau d'huîtres, le mets préféré d'Anaïs. Au moment où Georges sort son cahier, elle découvre, utilisés comme marque-page, des crins de cheval assemblés par un cordon. Elle interroge Georges sur l'origine de cet objet.

— Géraldine m'en a fait cadeau ce week-end, répond-il. Nous étions en Pays d'Auge où nous avons visité des haras. Connaissant ma sensibilité pour les objets chamaniques, elle m'a offert ces crins qui appartiennent à un cheval qu'elle a beaucoup aimé. Elle s'est dit que je pourrais en faire quelque chose.

Le sang d'Anaïs bout. Elle fronce les sourcils. En quoi sa réponse a-t-elle déclenché une telle réaction, pour l'instant non verbale ? La situation invite au silence. Ses yeux prennent la couleur du tonnerre, elle lui exprime sa colère.

— Le cheval qui permet de voyager dans l'autre dimension est un cheval sauvage. Les crins présents sur les masques totem sont des crins d'animaux sauvages. Le cheval domestique a perdu sa puissance et ne peut être animal totem : ni ses crins, ni ses poils, ni ses dents, ni son crâne, ni ses sabots ! Prendre un cheval domestique comme emblème est parfait pour les « show-men » civilisés qui ont perdu leur liberté : au pas, au trot et au galop dans un manège. Rien à voir avec une horde de chevaux sauvages qui descend un canyon en Arizona, là où nous sommes allés ensemble. À cet endroit, on parle de la vraie vie, de l'énergie à l'état pur, la seule qui intéresse le chaman. C'est la maîtrise de cette énergie sauvage qui permet de voyager dans l'entre-deux-mondes et donne la liberté. Le reste, c'est bon pour la parade illusoire de l'homme civilisé. Si tu as vu quelque chose de magique dans les faux crins, *j'é-crins* que tu aies halluciné. Regarde mieux la prochaine fois ! Ta queue de loup est plus fiable ! Savoir reconnaître la vibration énergétique d'un objet et son pouvoir chamanique à partir du senti fait partie de l'apprentissage.

Georges se demande quelle mouche a bien pu la piquer pour donner de telles proportions à cet événement somme toute insignifiant. En même temps, il aime se retrouver dans ces instants magiques, résonnants qui l'obligent à écouter détaché. Plus Anaïs exprime des colères, plus il respire au centre comme un balancier qui ramène l'équilibre. Il sait, par ailleurs, que ces crises n'ont pas vocation de le blesser, mais d'attirer son attention et de lui faire prendre conscience d'une partie de son ombre ou de son inconscience.

– Georges, précise-t-elle sur un ton plus calme, mes crises sont là pour ne pas oublier *l'essence-ciel* en chemin et revenir constamment en altitude, sinon je m'ennuie. Nous sommes deux personnes partageant une relation inqualifiable et cela n'est reposant pour personne, ni pour les autres, ni pour nous d'ailleurs. Ainsi va la vie : un tour de manège sur un cheval sauvage qui monte au ciel ! Je vois la reine Moghul dans le parfum du Bien-Aimé en train de visiter la vallée de la mort et de l'ombre. Descendue de sa monture, elle tient le cheval à ses côtés par la bride. Il a des œillères noires pour ne pas être effrayé du passage et son corps est recouvert d'un manteau cérémoniel noir et blanc. Elle le conduit avec lenteur et tient, dans sa main gauche, la hampe du drapeau de la mort, blanc et noir lui aussi, dans une marche silencieuse, dans le recueillement et dans la présence.

Georges ressent toute la puissance du message. Il sait qu'il devra plonger totalement dans sa dimension chamanique.

Le repas se prolonge et les sujets de conversation rebondissent naturellement entre eux. Il se dégage une magie à partager l'après-midi ensemble dans un espace neutre, loin de leurs domiciles respectifs. Georges regarde sa montre, le temps est venu de quitter Anaïs. Il lui annonce qu'il a un autre rendez-vous et demande la note de restaurant. Anaïs le fustige de nouveau.

– Comment peux-tu déjà limiter le temps d'avance ? Comment le sais-tu ? Aimes-tu être rare pour rester cher ? La Déesse ne se nourrit jamais de miettes. Elle reste fidèle à elle-même, elle souhaite la totalité et ne pousse jamais la porte qui est à peine entrouverte.

Cette journée vaut la peine d'être vécue, même si le moment à vivre interpelle. Anaïs est imprévisible et, dans ces moments de stupeur, elle excelle en maître ! Même si, avec le temps, il la sent de plus en plus prévisible dans l'imprévisible.

– De toute façon, ajoute-t-elle, un cerveau est fait pour oublier toutes les dates. Appartenir à l'éternité et être dans le moment présent ne sont pas réellement pratiques pour un agenda. D'ailleurs, souviens-toi, il y a une chose qui ne peut être mise dans un agenda : le moment de la mort. Ce moment fait basculer tous les agendas !

Georges retrouve Géraldine chez elle pour le souper. Il prend plaisir à lui faire part de sa rencontre avec Anaïs et lui commente sa réaction sur la queue de cheval. Le ton de la voix de Géraldine change. Sur la défensive, elle l'agresse par des propos dévalorisants. Il aime cette femme et accueille sa colère. Son émotion, renforcée par le traumatisme généré par le cambriolage, décuple l'intensité de la scène. Elle hausse le ton et perd le contrôle. À cet instant, il est au plus profond de sa faille. Il est au bon endroit pour entreprendre la danse la plus authentique de sa vie avec l'ombre. Il ouvre les bras et prend les coups de couteau en pleine poitrine. Géraldine sort de ses gonds, en perte d'équilibre. Georges, à travers ce qu'il est et le calme affiché, devient un miroir qui démultiplie sa puissance destructrice. Il accepte de se laisser glisser sans contrôler. Au paroxysme de la scène, elle le menace d'appeler la police s'il ne quitte pas immédiatement les lieux. Le choc est fort. D'une phrase, il calme le jeu et se retire. Il quittera Paris blessé.

Georges retourne à l'hôtel et s'endort pour une nuit de sommeil réparatrice. Comme prévu, il retrouve le lendemain Anaïs à l'aéroport.

Ils rentrent tous deux en même temps au Québec, mais sur des vols différents. Georges est en état de choc. Anaïs sent que quelque chose a changé depuis leur dernière rencontre. Elle ne lui pose pas de questions, les mots viendront plus tard. Ils atterrissent l'un après l'autre à Montréal. Ils se rejoignent et décident de prendre un taxi ensemble. Georges demande au chauffeur de les déposer directement chez Anaïs.

Le seuil de la porte franchi, Anaïs prend Georges dans ses bras. Le moment est fort. Ils prennent le temps d'arriver. Elle lui demande d'allumer un feu et elle réchauffe un potage thaïlandais qu'elle sert divinement. Après une douche bien méritée, ils se retrouvent devant le foyer où un futon « Queen », avec de nombreux coussins, accueille le corps et le cœur meurtris de Georges. Il dépose ses vêtements et se glisse sous une couverture de bison. Il regarde les flammes. Elles lui semblent différentes de celles témoins de sa danse orgasmique en Arizona. Georges raconte à Anaïs les péripéties de la soirée précédente. Anaïs en profite pour placer les écarteurs et ouvre son cœur davantage.

– La représentation fut à la hauteur de l'enjeu, s'exclame-t-elle. Géraldine a joué son rôle à la perfection. Tu ne ressembles à rien, et ce rien fait réagir très fort. Plus tu ressembles à rien, plus j'aime cela et mieux tu vas te sentir !

Georges relève la tête et se demande de quoi elle parle. Il se sent tellement fatigué et cela n'est pas rattaché uniquement au décalage horaire.

– Être amoureux est différent d'une relation amoureuse : là est la source de la confusion, ajoute Anaïs. Le couple limite l'amour en déterminant un cadre. Dans la rencontre, la perfection n'existe pas. Cela demande d'apprendre à renverser les moteurs, à aimer à partir de son centre et de son cœur. Dès le début d'une rencontre d'amour, nomme ce que tu vois, ce que tu sens et quelles sont tes limites. Cesse de regarder le potentiel de l'autre. Ton intelligence et ton expertise te permettent de le voir de suite, mais il y a une trappe pour toi. Accepte l'autre comme il est, n'attends rien, ne change rien. C'est l'endroit qui te demande de la vigilance. Sois présent à ce qui est disponible et détache-toi.

Georges entre en résonance avec les propos d'Anaïs. Ils ne sont pas une découverte, mais aujourd'hui l'onde vibratoire est toute différente.

– Géraldine était une voie sans issue, complète-t-elle. Sa tentative de te faire entrer dans sa normalité ne pouvait que déboucher sur la fin de la rencontre. Ta dimension androgyne ne pouvait que la déranger.

Georges ressent qu'une partie de lui ne pouvait pas vivre et s'exprimer dans la relation avec Géraldine. Sa sensibilité est blessée. Il se sent plus féminin que masculin. Les messages de sa mère, touchant la masculinité de son père, l'ont projeté inconsciemment dans son contraire : il était avant tout un homme et il fallait le prouver !

– Il y a quelque chose de toi qui n'est pas totalement guéri dans le féminin, et c'est cela qui inconsciemment fait peur, rajoute Anaïs. Tes prochains rendez-vous vont te permettre de poursuivre le chemin de guérison.

Cette fois, elle sent que Georges touche le cœur de sa faille. Elle lui sert un thé avec bienveillance, lui caresse les cheveux et dépose sa main sur son cœur d'homme.

– Tu goûtes aux ailes de la liberté, conclue-t-elle. Cette liberté-là fait toujours réagir. À travers la rencontre initiatique avec un maître, tu goûtes à cet espace et ce à quoi tu aspires. Tu découvres que cette dimension est possible, arrive alors le moment le plus difficile à vivre.

Il s'endort sur ces paroles. De cette nuit il ne se souvient que d'avoir vu un chat noir aux yeux jaunes apparaître, disparaître et revenir. À plusieurs reprises, il entendit son ronronnement. Le félin dormit une bonne partie de la nuit au-dessus de sa tête.

Après une convalescence cardiaque de deux jours, il regagne son lac. Il se sent fragile et prend le temps de reconnecter avec l'espace de vie retrouvé. Il n'a plus de nouvelles de Sarah. Le loup sent le rendez-vous et la suite de la piste.

À présent, le corps de Sarah ne peut plus la supporter. Elle reçoit désormais de la morphine en doses de plus en plus fortes pour soulager la douleur et atténuer la souffrance. Le moment de l'opération à cœur ouvert est venu. Elle pleure comme jamais. Dans l'abandon total, dans une infinie tendresse pour elle-même, elle a ouvert le chemin de son cœur. Des vagues de larmes émergent, comme si pleurer préparait le terrain pour la chirurgie mystique. Elle partira dans son sommeil, son cœur s'arrêtera tout simplement. Si elle est encore présente, c'est parce qu'elle ne se sentait pas prête. Elle demande à Georges de l'accompagner dans ses derniers moments qu'elle sent proches.

– Je te remercie d'accepter ma demande de partage d'intimité
extrême et de respecter avec intégrité ce dont j'ai maintenant
besoin. Avec toi, je rejoins l'espace intérieur de mon cœur,
l'intensité du contact et du moment présent. C'est le trésor
que j'emporte précieusement avec moi. Je t'offre en retour un
océan d'amour, de tendresse et de gratitude. Je commence
à préparer mon départ qui arrive maintenant.

Cette nuit est la dernière. Sarah le sait. Chacun meurt comme il a
vécu, les derniers moments sont à l'image du chemin parcouru. La
mort demande d'être simplement au rendez-vous. Personne ne peut
la devancer ni la fuir. En réalité, c'est au moment de la naissance que
nous commençons à mourir. La naissance nous rapproche de notre
mort. La mort devient l'apothéose de la vie parce qu'elle nous rapproche
de la naissance. Elle est le début d'une nouvelle vie.

Georges demande à Luc, l'infirmier fidèle depuis les premiers jours,
de rester cette nuit. Il accepte. Au fil des rencontres, Georges et Luc
se sont fortement rapprochés. Cet homme sensible accompagne de
nombreuses personnes sur la route de la mort, mais c'est la première
fois qu'il est témoin de ce qu'il découvre au travers de Georges et
Sarah. Avec l'expérience, un autre espace s'ouvre à lui aussi. Georges
sent l'homme dans sa force sauvage authentique mélangée à une
tristesse à fleur de peau. Luc est attentif à l'autre et a une finesse hors
du commun dans le contact. Georges s'approche de lui, ouvre les bras,
Luc s'abandonne. Leur corps-à-corps est puissant et doux à la fois.
Leur cœur-à-cœur est intense. Un élan d'amour les traverse et leurs
larmes s'unissent. Leurs respirations s'intensifient et se synchronisent.

Ils ressentent tous deux le cadeau d'être présents l'un à l'autre à ce moment. Sarah, à travers son chemin, a permis cette rencontre.

> – Luc, nous avons à approcher la mort et la souffrance consciemment, à pas feutrés, avec respect, et à rejoindre la ligne de départ avec humilité, lui partage Georges. Il est encore temps d'ouvrir un nouveau chemin plus humain vers la mort, un chemin de compassion. Nous pouvons faire la différence, changer les habitudes et mourir dans la plénitude de la vie au lieu d'en faire un drame.

Luc, silencieux, sert les épaules de Georges. Il rejoint Sarah pour lui donner les derniers soins de la journée. Quelques instants plus tard, Georges les retrouve. Ils restent ensemble quelques moments. Luc leur souhaite une bonne soirée, en lançant un regard complice à Georges, et se retire discrètement. Il sait que Luc est dans l'espace cette nuit et le supportera.

Georges purifie la chambre de Sarah avec de la sauge et différentes herbes. Il fait le tour de la pièce en suivant les quatre directions. Il s'immobilise devant les portes et les fenêtres pour nettoyer et honorer les passages. Les rideaux blanc crème sont tirés et confèrent à l'espace une lumière tendre. Au centre de la pièce, Sarah est allongée sur le lit, couchée sur des peaux de loup, de chevreuil et d'ours. Elle est vêtue d'une étoffe de paillettes or et argent. Sarah regarde Georges par intermittence, présente et absente à la fois. Elle fait des allers-retours entre le monde extérieur et intérieur. L'idée de mourir en présence de Georges, dans ses bras, a transformé son énergie des derniers jours. Mourir dans l'extase, mourir en femme, mourir dans l'essence. Georges a accepté de mettre en place ce dernier rituel à sa demande, une cérémonie qui accompagne la mort et ouvre une porte en direction de la renaissance.

De part et d'autre du lit, Georges a déposé les objets préférés de Sarah. Neuf haut chandeliers d'argent disposés en cercle expriment l'harmonie, la nature et la continuité. Le cercle constitue un élément global de la compréhension de la vie. Les valeurs intrinsèques sont le partage, l'humilité, le respect et l'authenticité. Tout y est sacré et indivisible ! Le cercle n'a pas de début et n'a pas de fin, tout comme notre vie. Comme le feu, le cercle est passion, il est la vie émergeant de la mort, la vie qui apprivoise la mort. Dans un cercle, nous sommes tous égaux parce que nous sommes interreliés.

Georges choisit la *Marche Mystique*, leur morceau musical favori sur lequel ils aimaient méditer et explorer l'espace d'amour ensemble. À ce moment, il sent que les accords musicaux le pénètrent différemment. Les doses fortes de morphine emmènent Sarah dans cet espace vaseux, vaporeux où le regard devient trouble et diffus. Le décor tendu par Georges reflète sa vie : lumière, ombre, beauté, couleurs, parfum, musique, danse et images. Une dernière nuit, suivant un dernier jour, le dernier moment. Nous ne naissons que pour mourir et sans la mort nous ne pouvons parvenir à la vie. Mais qui meurt réellement ? Qu'est-ce qui ne meurt jamais ? La vie nous offre de rencontrer la peur viscérale de mourir. Elle nous amène à rencontrer la souffrance et nous forge l'âme. De la façon la plus inattendue, elle ne nous permet pas de passer deux fois sur le même chemin, ni par la même porte.

Sarah demande à Georges, à voix basse, de revêtir sa jupe de danseur de samouraï, cette pièce de tissus amples ramassée à la taille par une double ceinture. Elle veut le revoir dans le costume qu'il portait au moment de leur rencontre. Georges prend le temps de se dévêtir et revêt sa parure bleu nuit. Il s'allonge à ses côtés et sent sa respiration devenir de plus en plus difficile. Dans un subtil mouvement, il s'étend sur le corps de Sarah avec prudence, son corps étant devenu extrêmement fragile. Les os peuvent maintenant rompre avec une légère pression inadéquate. Sa peau est douce. Sarah fait glisser la main de Georges sur son ventre, elle souhaite être touchée. Mourir en profondeur sur cette musique divine peut encore attendre quelques instants ! Lorsque le temps s'arrête, l'immobilité prend toute la place. Être là à goûter le vide qui conduit sur le sentier de la mort.

Sarah tourne son visage vers Georges. Ses yeux bruns luisants l'invitent à la pénétrer. Elle veut le sentir au plus profond d'elle. Georges a le regard vide, vitreux. Il plonge dans cet espace altéré qu'il connaît et qu'il aime. Un trou sombre l'aspire, une fissure verticale dans le noir. Il entreprend un mouvement et entame la danse de l'ombre, une ondulation, une inclinaison subtile vers le ciel. Il prend l'ascenseur. Des faisceaux bleu cobalt se transmutent en vert émeraude. Maintenant, Georges prend place à bord du vaisseau qui le conduit dans l'autre monde. Il visite l'ombre et la mort. Il voit des crânes humains, des serpents, des animaux inconnus. Georges se relève et se met à quatre pattes, entourant le corps de Sarah. Il sent les ongles lui pousser et se transformer en griffes qui poussent de manière démesurée pour entrer profondément dans la terre. Les extrémités de ses membres ressemblent à des racines d'arbres de plus en plus ramifiées et profondes. Il s'enracine dans la Terre Mère.

Sarah perçoit les mouvements et l'énergie de Georges. Son corps commence à bouger avec fébrilité. Soudain, elle saisit le sexe de Georges, à travers le tissu de sa jupe, et le fait rouler entre ses doigts. Georges sent en lui la finesse du loup et la force d'âme de l'ours. Il tire les sangles de son habit de samouraï pacifique. Son sexe nu et bandé s'immobilise quelques centimètres au-dessus de celui de Sarah. Elle ne peut bouger, Georges dépose tendrement la pointe de son pénis à l'entrée de son vagin. Sarah ouvre la bouche et souffle dans sa direction. Elle accepte de mourir en douceur, bercée par le chant de l'amour. Elle meurt en s'ouvrant à l'immensité. Pour la première fois, son cœur ressent la tendresse douloureuse de la gratitude. Son dernier souffle devient son premier souffle. Elle naît à l'amour en brisant le cercle de souffrance qui l'a isolée toute sa vie. Georges reste allongé sur elle et pleure jusqu'à l'aube. Georges se retire alors du corps de Sarah devenu froid. Il se place debout, au niveau de ses pieds qu'il saisit. Il y reste un long moment avant de s'allonger sur un tapis au pied du lit. Empli de gratitude, il s'endort enroulé dans une couverture.

Le lendemain soir, Georges retrouve Anaïs. Installé confortablement devant le foyer, il se couche sur le corps d'Anaïs et lui raconte sa nuit. Anaïs, attentive, les yeux fermés, sent et écoute. Elle ouvre avec douceur les yeux et place la tête de Georges contre son cœur.

– Je n'ai jamais imaginé que tu habites un tel espace sans limite, lui confie-t-elle. Cela est difficile à comprendre pour les personnes qui te côtoient. Elles veulent ramener à ce qu'elles comprennent. Sarah et Géraldine ont voulu te contenir dans des cadres qui sont les leurs. Quand elles comprirent qu'il était impossible de te changer, cela devint explosif. Cet espace d'expansion fait peur. Je me dis que tu dois te sentir très seul dans l'immensité de cet espace-là à travers ce que tu crées. Tes amis vont s'écarter de toi, si ce n'est déjà fait. Tu es en train d'inventer quelque chose qui n'existe pas !

Très peu de gens le réalisent et c'est pour cela que je t'ai choisi. Tu as quand même passé de nombreux tests... Tu es en contact avec ta puissance et tu la maîtrises. Ton chemin à toi consistait à retrouver ton féminin. Une grosse partie du travail est accompli, mais ce n'est pas terminé. Une fois le grand nettoyage réalisé, il reste le plus difficile : éviter que la poussière ne retombe !

Georges roule sur le côté et s'agenouille entre les cuisses d'Anaïs. Il dépose ses deux mains sur son ventre, au-dessus de son sexe, en formant une coquille. Il y laisse rayonner l'énergie en son creux. Elle relève sa robe pour être plus confortable dans ses mouvements et écarte plus fortement les jambes. Son corps extatique palpite, vibre sans retenue. Les spasmes orgasmiques s'intensifient. Georges relève les yeux vers le visage d'Anaïs et découvre des larmes sur ses joues. Des hurlements décuplent ses pleurs. Anaïs touche, au travers des mains de Georges, à la profondeur de la souffrance et de la blessure. À demi-mot, elle lui demande de l'aider à se relever. Une fois debout, elle saisit Georges par les mains. Ils sont face à face, leurs racines ancrées dans la terre. Anaïs, nue, secoue sa chevelure et crie dans un torrent de larmes. Georges accompagne le mouvement de son corps. Il dépose un bol tibétain de grande taille sous ses jambes écartées. Il sent qu'Anaïs va se répandre. Soudainement, dans un déchirement puissant, elle urine toute sa peur et son dégoût, éclaboussant Georges au passage. Le moment est d'une force inouïe. Durant de longues minutes, ils restent debout, immobiles, au-dessus du bassin.

Georges se rappelle le rituel des bassins en Arizona. Cette fois, le mouvement s'inverse. Accompagnant Anaïs, il se trouve projeté à son tour dans une mémoire qui remonte à la surface. Il se souvient d'avoir accompagné sa mère, à l'âge de six ans, à bord d'un tramway alors qu'elle fit une fausse couche. Georges se trouva totalement livré à lui-même, les deux pieds dans une marre de sang abondante. Dans l'incompréhension de la situation, il pleura. Ce n'est que des années plus tard qu'il découvrit que l'origine de cet incident était un avortement.

Anaïs honore cette énergie de vie qui reprend possession de son corps et la libère de la souffrance. Un miracle après avoir perdu la force de ses jambes, suite à l'opération de ses hanches, et ses racines taraudées par la douleur. Son sexe, son cœur et son esprit sont de nouveau connectés dans la force de l'arbre de vie. Il lui fallait explorer le début de cette nouvelle aventure qui ouvre le chemin, pieds nus sur la terre sacrée. Il lui fallait retrouver le courage de rester debout en faisant corps avec la nature, en résonance avec la médecine de l'âme.

– Prends conscience que le féminin dégouline, c'est sa nature première, partage Anaïs à Georges. Que veux-tu ? Je vais devoir remonter un jour à la source, partir en pèlerinage pour comprendre. Qu'y a-t-il sur le plateau d'or ? Regarde, c'est précieux pour toi et pour moi aussi. Nous sommes dans la rencontre au cœur de la vie pour mourir ensemble. Tu vas permettre aux femmes de s'approprier l'énergie masculine, de sentir enfin leur force de pénétration, et aux hommes de se laisser pénétrer au plus profond de leur vagin, de retrouver la force de la vulnérabilité. Réalises-tu que c'est pour cela que tu existes ?

Chapitre 8

Anne et Thomas, un couple d'amis, rendent visite à Georges. Ils aiment être chez lui, dans les grands espaces et la nature sauvage. Leur première rencontre remonte à l'époque où Georges et Thomas travaillaient dans l'industrie pharmaceutique. Au fil du temps, les deux hommes ont développé une amitié complice et sensible. Chaque matin, le petit-déjeuner offre aux trois amis un moment de partage sans pareil. La vie s'écoule avec légèreté et génère un sentiment de liberté. Une fois le repas terminé, Georges vaque à ses occupations pendant que ses amis visitent la région et prennent du bon temps. Ils se retrouvent chaque soir pour un nouveau rendez-vous avec les sens.

Cela fait maintenant une semaine qu'Anne et Thomas séjournent chez leur hôte. Pour honorer leur séjour, Georges propose de les emmener découvrir une exposition. Ses invités sont ravis et la visite au musée s'annonce palpitante. Après un long trajet longeant le Saint-Laurent, il arrivent à Québec. Ils visitent l'exposition *Camille Claudel et Rodin, la rencontre de deux destins*. Ce moment plonge chacun dans un regard sur la beauté, la sensualité, le déchirement et l'amour à travers la passion de ces deux artistes hors du commun... ou très communs ! Ils y restent deux heures avant de rejoindre un restaurant au bord du fleuve.

L'énergie de la soirée est belle et invite à poursuivre la conversation sur leurs découvertes de l'après-midi. *Le Baiser*, *l'Ombre*, *le Cri*, *l'Abandon* et *l'Âge mûr* ne peuvent qu'inciter à un partage de cœur.

– Finalement, c'est le couple qui tue l'amour, lance Georges.

Il n'en fallait pas plus pour faire réagir Thomas, pour toucher sa blessure d'abandon et ses croyances.

De retour à leur hôtel, Georges propose de prendre un dernier verre au bar avant de se séparer pour la nuit. Il ne s'attend pas, alors, à vivre une situation aussi inattendue que celle que lui réservent ses amis. Assis sur le même canapé, Georges et Thomas observent Anne quitter le sofa sur lequel elle se trouvait face à eux. Surpris, ils se regardent et continuent leur conversation. Soudain, Anne s'approche, s'accroupit entre eux et dépose ses coudes sur leurs genoux. Georges regarde la scène avec intérêt et amusement. Un événement va se produire, mais lequel ? Thomas ne comprend pas ce qui se passe. Anne, souriante, regarde son compagnon. D'une voix déterminée, elle lui exprime son désir de faire l'amour avec Georges et lui en demande la permission. La scène est extraordinairement surnaturelle. Thomas, gêné, rougit et la questionne : « Es-tu sérieuse ? » Georges trouve le moment fort et reste disponible à la suite des événements. Il regarde la valse des inconscients entrer en piste.

Qu'est-ce qui pousse Anne, cette femme si réservée, à formuler ce besoin ? Pourquoi cette attente ? Georges, sentant son ami embarrassé, indique à Anne sa surprise. Il accueille la beauté et le courage de sa démarche. Alors que le couple échange sous son regard attentif, il regarde sa faille, joue avec son ombre, entre en son centre. Son regard reflète le vide et devient miroir. Il scrute, tel le loup, la suite des événements. Après une vingtaine de minutes, Thomas annonce son accord à Anne en argumentant : juste une fois et parce que c'est Georges ! Accueillant la décision de son ami et sans intention d'y répondre, Georges lui partage avec calme et douceur :

— Faire l'amour signifie faire quelque chose et, dans une rencontre d'amour, il n'y a rien à faire. Dans le cas où j'accepte, lorsque Anne et moi te rejoindront demain matin pour prendre le petit-déjeuner, seras-tu capable de nous regarder dans les yeux, de nous dire avec le cœur et légereté « bonjour » ?

Thomas, troublé, répond qu'il ne peut en être sûr. Sur quoi, Georges lui fait remarquer que son accord n'en est pas un. Il prolonge sa réflexion pour donner un éclairage à ses amis sur l'ensemble de la scène. Il les aide à regarder toutes les dimensions cachées de la demande initiale. Sa présence aimante et son détachement leur permettent de regarder la richesse de ce moment pour ouvrir leur relation sur l'essentiel. Bien que le désir d'Anne soit légitime, la vie n'a pas placée non plus Georges dans cette situation par hasard. Elle lui offre l'occasion d'entreprendre une danse magique au cœur de l'ombre. Il regarde dans la conscience et il sent le chemin de guérison accompli.

Georges retrouve Anaïs quelques jours plus tard. À son arrivée, il la rejoint en train de lire près de la cheminée. Elle met sa main sur sa poitrine. Elle caresse ses mamelons entre le pouce et l'index avec une force subtile. Il aime sentir la pointe de ses seins se dresser au contact du toucher féminin. À travers ses seins, il pénètre avec son amour et devient de plus en plus femme. Soudain, il a envie de vomir, par deux fois. Il l'annonce à voix haute à Anaïs qui, surprise, recule. Cet élan gastrique est sans doute en résonance avec les derniers événements vécus. Géraldine et Sarah ont été des caisses d'amplification et des courbes d'accélération dans sa vie, à un moment de grande vulnérabilité. Il a besoin de vomir, un poids sur l'estomac à remettre, un gros colis à livrer. La communication de son écœurement et de son mal de ventre projettent Anaïs en arrière : elle est touchée en plein cœur par le miroir de Georges. Ils se séparent pour la nuit sur cette brève rencontre.

Georges s'endort dans un sommeil des plus paisibles. Quant à Anaïs, elle ne dort pas. Elle vomit toute la nuit. Elle remplit la cuvette de son cabinet de toilette, qui n'a rien à voir avec les bassins de l'Arizona, dans un éclat sonore tonitruant.

Le lendemain matin, Georges prend un soin particulier pour réveiller Anaïs. Il caresse ses longs cheveux et la regarde ouvrir doucement les yeux. Il amène un plateau sur lequel il a déposé deux cafés, le petit-déjeuner et trois lys blancs. Elle se redresse et place, pour se sentir confortable, quelques oreillers ramenés de ses voyages balinais.

– Avec les mots prononcés hier soir sur ton envie de vomir, j'ai reçu ton dégoût en pleine face, lui confie-t-elle. Je suis sensible et j'ai figé : ton écœurement est resté dans mon cœur. Au moment où j'ai approché ma main sur ta poitrine, je voulais te dire simplement que j'avais envie de te sentir dans le silence, d'écouter ta respiration, de me déposer avec toi cœur-à-cœur afin de te ressentir de l'intérieur. Une coupure brutale s'est produite. J'étais incapable de parler et de reprendre contact avec toi. Mon cœur pleure. Est-ce Georges qui a parlé ? Celui qui est amour, qui sait souffler

166

pour que la fleur s'ouvre ? J'avais besoin d'être accueillie, dans la tendresse et la douceur.

Georges reçoit ces propos. Il observe que, depuis un certain temps, il se trouve toujours quelqu'un dans son entourage pour vomir à sa place. Georges a à plonger totalement dans son dégoût et à accepter de se mettre à genoux, le chemin frôle aussi l'abîme !

– Ce matin, ta présence aimante a ouvert la porte et me permet de regarder l'ombre de cette nausée, ajoute Anaïs. J'ai entendu le mépris. Il m'a frappée en plein visage et m'a laissée sans mots, avec la nausée intolérable de mes maux mêlés aux tiens. Tu as ouvert avec authenticité sur ton mal de cœur bien réel, non d'un dégoût de la femme. J'ai vu l'origine du poison. À travers toi, j'ai fait face au regard méprisant et désirant de mon père qui me gardait prisonnière. Ce regard qu'il portait aussi sur ma mère et qui était intolérable pour moi comme fille. Ce regard qu'il posait sur les autres femmes de plaisir qu'il appelait putains et salopes avec lesquelles il faisait l'amour en catimini. Ce regard-là s'est tourné vers moi à l'adolescence pour détruire ce qu'il ne pouvait avoir : le désir sali par le mépris. Mon corps chaste et pur a reçu souvent des coups jusqu'au sang. L'humiliation allait jusqu'à frapper d'une façon perverse pour me corriger de mes élans amoureux et m'enlever l'envie d'embrasser ou de flirter avec les jeunes hommes, sous prétexte de me garder intacte jusqu'au mariage. J'ai été longtemps prisonnière de ce regard. Mon père me hurlait son dégoût pour cette sexualité naissante qui transpirait par les pores de ma peau : « Putain, salope, sois pure comme ta mère ! » D'un côté ou de l'autre, il n'y avait pas d'issue, j'étais coincée. J'ai préféré la putain. La situation de ma mère n'était pas enviable. Au moins la putain avait du plaisir ! Voilà d'où viennent cette fragilité extrême devant le dégoût et ma paralysie à exprimer quoique ce soit, hier soir, face à toi. Le corps a encore l'empreinte du choc et le cœur est dévasté. Mon innocence a été assassinée, il m'est resté la nausée et l'envie de vomir. Pour me libérer de ce mépris, j'ai dû ravaler et je n'ai pas pu digérer. Au fond de ce puits écœurant, je ressens encore du mépris pour les hommes et cette infinie tristesse terrée dans le silence pour l'innocence assassinée.

Georges, ému par l'intensité et l'intimité du propos, ne peut que repenser à la force de l'enseignement sur le miroir de l'ombre. Il en ressent toute la portée. Il mesure la force du travail de guérison qu'offre la rencontre homme-femme dans un espace détaché et connecté au plus haut point. Une victoire de l'amour qui permet de voir dans l'ombre, ouvre le cœur dans la souffrance et permet aux larmes de couler avec douceur. Une victoire de l'amour qui éclaire les chemins et permet de mourir dans cette intensité qui rapproche de soi.

Ce matin au réveil, Georges ressent aussi l'impact d'être né dans une maison sans amour, le sens du refus de naître. Il regarde comment il a pu se structurer autour du vide. D'un côté, il avait à se protéger d'un amour étouffant. De l'autre, il était pris en otage entre être le préféré et être abandonné à la réalité. Il était confronté à l'appétit dévorant de sa mère et à sa soif d'amour d'enfant, avec une épée pointée sur son cœur. Une partie de lui réclamait l'amour, mais il ne pouvait répondre au vide profond de sa mère. La laisser entrer totalement en lui conduisait à sa mort. Pour sa survie, il ne pouvait ouvrir totalement son cœur dans la rencontre. En refusant l'accès, il reconnaissait son impuissance face au gouffre. Il avait la rage qui dévore le ventre, celle qui ne peut être sentie pour ne pas perdre l'espoir qui reste. Anaïs observe l'intériorité de Georges et, dans la connexion, poursuit :

> – Après la mort de mon père, j'ai brûlé tous les tableaux de
> moi, nue, qu'il avait repeints couche sur couche, jusqu'à la
> fin de sa vie. Je ne ressemblais plus qu'à une statue, sans vie,
> comme si mon corps avait perdu sa chair vivante. À travers ce
> regard méprisant et obsessif, j'étais devenue la femme objet
> accrochée dans le salon et la chambre à coucher, l'image
> d'un fantasme morbide mal dissimulé. La vue de ces toiles
> m'était intolérable et le souvenir douloureux. Il va falloir
> que je fasse le chemin du pardon pour me libérer du regard
> méprisant, ne plus l'imaginer dans tes yeux ou tes paroles. J'ai
> à transformer le dégoût et à ramener la vie dans mon corps.
> De la chair, de la chair, de la chair sur mes vieux os pour ne
> pas mourir en femme squelette ! Ton calme, ta centration
> et ta clarté m'apaisent. J'apprends ainsi à m'abandonner,
> mais je sens encore la peur au ventre.

Georges ressent l'importance d'être en silence. Il est touché par ce moment de grande vulnérabilité. Anaïs lui montre le chemin. Le regard désirant fait résonance. À son tour, il ressent toute la pudeur de l'enfant, du petit garçon qui n'est pas sûr d'être aimé, ni le bienvenu avec sa grande sensibilité. Son cœur a besoin aussi de s'épancher. Il sait qu'Anaïs peut l'accueillir dans sa fragilité et lui permettre d'ouvrir totalement la voie royale du cœur dans l'authenticité.

– J'aime ta force, ton intégrité, ajoute Anaïs. Cet espace de confiance m'invite à prolonger ce partage avec toi. À deux reprises, le hasard a voulu qu'un homme s'approche de moi avec son désir. La Déesse est appelée dans sa nature sauvage et ne peut dire non. Je ne m'y attendais pas ! La vibration est au bon endroit et me nourrit. Cinq ans de moratoire pour vivre l'instant précieux d'ouverture depuis le jour où je me suis jurée qu'aucun homme ne franchirait la porte du sanctuaire, autrement qu'avec amour, dans le feu du désir, avec la conscience de pénétrer un espace sacré. Mes hanches m'ont signifié que le rendez-vous était impossible. L'énergie a eu la grâce de monter à nouveau. La verticalité s'est installée d'elle-même, sans effort. Les deux pôles viennent juste de se raccorder. Tes mains, Georges, ont su et ont senti comment dégager la peur. Le feu s'est allumé quand la peur est partie. Mon sexe s'enflamme et l'énergie monte toute seule, en vagues orgasmiques. Quel cadeau de vivre cette intégrité retrouvée du corps ! Vouloir le vivre maintenant, dans une relation sexuelle, est tout nouveau. Je suis en train de redécouvrir le feu du désir, un feu proche de la douleur tant il est intense. Cela à près de soixante-cinq ans ! J'ai le courage de le partager aujourd'hui avec toi, pour honorer le chemin que tu as ouvert et qui révèle la femme que je suis. Corps et âme en résonance enfin, la boucle d'une vie, l'ultime fantasme avant de mourir : une femme reste une femme !

Georges accueille Anaïs. Il sent la puissance de ce voyage intime. Il ressent également la fin du périple qui les a amené tous deux à cet endroit.

— Cela me donne confiance pour aller plus loin dans mon propos, poursuit Anaïs. Sans doute à cause de la « chanson des amours illusoires » que tu aimes me chanter. Je l'ai entendue différemment cette fois. Je veux te dire : oui, notre amour est platonique, il y a longtemps que je l'ai compris. Le feu du désir n'est pas dans notre relation, le feu de l'amour, oui. Je contemple la beauté de notre amour pur, celui qui transforme et ouvre le sexe en même temps à un autre niveau, et le respecte profondément. Il est bon que tu saches que la grand-mère est une femme aussi pour trouver la juste place. Un pas de plus dans cette aventure qui est la nôtre. Un beau voyage dans l'illusion de l'amour. J'en suis sûre, impossible de retourner en arrière. J'ai vu la puissance de notre lien, ta fragilité et la mienne. Mon cœur est touché parce que j'ai senti aussi tout le courage qu'il faut pour être différent et le porter, sans fléchir. C'est l'heure où je me retire. Je souhaite mourir heureuse, de préférence dans tes bras ! Acceptes-tu que je meure dans tes bras ?

Georges sent son cœur battre à tout rompre. Il voit les différentes pièces du puzzle s'assembler. Un an auparavant, Georges a rencontré Ricardo, un chaman mexicain, dans une hutte de sudation de tradition olmèque. Les deux hommes sympathisèrent et leur intensité les rapprochèrent. Ricardo lui proposa de le parrainer pour participer à la prochaine Danse du Soleil dans son pays. Célébrant la femme, cette cérémonie sacrificielle lui offre de poursuivre son chemin dans la guérison du féminin. Sa totalité fit peur à Ricardo. Georges, attentif aux signes, se dit que ce n'était ni le bon moment, ni le bon endroit.

Les tambours résonnèrent si forts qu'à la disparition des Mexicains, les Sioux apparurent.

Lorsque Georges fit le voyage de l'Ancien Monde pour rejoindre le Nouveau Monde, bien avant de rencontrer Anaïs, il n'imaginait pas se retrouver à vivre un tel rendez-vous avec les Amérindiens. Son chemin tracé par le destin, à son insu d'abord, prend toute sa dimension. Il a traversé l'océan, sans trop savoir le sens sacré de ce passage et la raison de sa traversée : la vie l'a poussé là ! Un heureux hasard, même s'il a perdu des plumes à son panache. Celles qu'il gagne en secret ont une valeur différente. Être témoin de son chemin est un cadeau. L'heure de la séparation approche. La vie a préparé ce moment.

– Je célèbre une fois de plus et honore le destin qui a permis notre rencontre, témoigne Anaïs. Les souffrances n'ont pas été vaines, ni les affrontements qui nous ont mis face à face dans l'authenticité pour nous retrouver côte à côte. Je ne regrette pas un instant le chemin parcouru. Les défis nous ont permis de nous connaître et de nous rencontrer en profondeur dans le cœur et dans l'âme au-delà du corps : un saut quantique dans le vide.

Toutes les circonstances sont des occasions offertes pour goûter à la beauté de la vie. Elles permettent, à travers le sel des larmes et la fragilité qui fait ou refait surface, de se rencontrer au bon endroit.

Georges se prépare à un nouveau voyage hors du mental. Il accepte de perdre ses points de repères pour plonger une nouvelle fois. Il s'apprête à vivre une quête de vision : un jeûne total de plusieurs jours au milieu des bois et une rencontre avec lui-même. Un voyage similaire à celui chez les loups, mais cette fois dans une autre dimension. Cette quête de vision prépare au rituel sacré de la Danse du Soleil auquel Georges participera l'an prochain.

En ce début de journée, Georges arrive sur la terre ancestrale des Algonquins. Il découvre des étendues forestières gigantesques, perdues au milieu de nulle part : le rendez-vous avec la nature par essence. Dans les derniers kilomètres de piste, il éprouve de la difficulté pour trouver le lieu de rassemblement. Il s'écoule un certain temps avant qu'il croise un véhicule tout-terrain. Georges arrête le conducteur pour l'interroger sur sa route. L'homme ressemble à un trappeur à longue barbe grise, la casquette retournée sur le crâne, la visière protégeant le cou. Il est robuste, le teint buriné par le soleil et le vent. Georges lui demande où sont les Indiens avec lesquels il a rendez-vous, lui présentant sa feuille de route. L'homme rit et s'exclame : « Les Indiens sont dans le bois ! » Georges sourit, comprenant que sa question a déclenché une réponse humoristique de la part de son interlocuteur. Avec cordialité, l'homme l'invite à faire demi-tour et à le suivre. Il se dirige au même endroit. Une fois de plus, Georges a rencontré la bonne personne, et il le sait !

Parvenu au lieu de rassemblement, Georges est accueilli par Joe, le Grand-Père sioux Lakota initiateur et organisateur du séjour.

Durant la première journée, l'ensemble de l'équipe s'affaire à préparer l'espace rituel et à monter le campement pour la semaine. Le camp et la hutte de sudation sont construits avec précision selon la tradition. Une fois l'espace installé, le Feu sacré allumé, Georges fabrique un Waluta sur le conseil avisé de Joe : une pièce de tissu rouge qui, pliée adéquatement, forme un corps et une tête décorée d'une plume d'aigle.

Il n'existe qu'un Waluta, le sien. Il symbolise le chef, le Soi et doit être traité avec respect. Personne ne peut le saisir et il ne peut toucher le sol, symbole de la mort. Georges emmènera dorénavant son Waluta avec lui dans tous ses déplacements.

Avant le départ en forêt, Joe conduit deux rituels de purification. Après le coucher du soleil, la porte de la hutte, orientée à l'Ouest, accueille Georges et ses amis pour le premier rituel. La température intérieure est extrême, les chants sioux le transportent dans un autre espace. Georges est de plus en plus intériorisé. Les Walutas, accrochés sur les branches sommitales, donnent l'impression d'une famille ou d'une troupe de danse prête à un ballet aérien. Le passage des quatre portes se termine vers une heure du matin. Il lui semble aussi qu'il n'a plus rien à suer. Après une nuit brève, Georges rejoint le même endroit, au lever du jour, pour participer au second rituel. La hutte de sudation organisée au réveil est courte : une heure de transpiration à forte intensité. Une fois la porte de l'Ouest ouverte, Georges et ses compagnons sont prêts pour un voyage au cœur de soi.

Georges a rassemblé ses affaires dans un seul sac. Le groupe se dirige en colonne silencieuse, vers le sommet de la montagne où chacun reçoit tour à tour l'assignation de son lieu de vie au fur et à mesure de la progression.

Joe désigne son emplacement à Georges. Il est un des premiers à s'installer. La zone est délimitée naturellement par deux arbres tombés récemment et forme un cercle de trois mètres de rayon. Il ne pourra sortir de cet espace pendant quatre jours et trois nuits, jusqu'au moment où Joe viendra le récupérer. Durant cette période : aucune nourriture, aucune boisson, aucune lecture, aucune écriture, aucune musique, aucune montre. Juste être seul et regarder à l'intérieur, connecté avec la nature authentique.

Le premier jour, Georges installe son camp. Il plante la tente au centre du cercle, en l'orientant de manière adéquate. Le terrain est en pente, il prend des précautions pour éviter de loger sur une cité lacustre en cas de fortes intempéries. Une fois la tente montée, il ne reste que peu d'espace pour se déplacer dans son cercle. Le temps s'écoule au rythme de l'installation du camp.

Aux quatre directions, Georges place six grands fanions de couleur. À la porte de l'Ouest, symbolisant la direction de la vision, il dispose trois fanions : un bleu foncé pour indiquer la direction, un bleu ciel pour célébrer le Ciel Père et un vert pour honorer la Terre Mère. Il met ensuite trois autres fanions, un dans chacune des directions restantes : un rouge au Nord pour la sagesse, un jaune à l'Est pour le renouveau et un blanc au Sud pour l'amour. Il déroule, sur la circonférence de son cercle, une ficelle. Pendant une journée et demie, il accrochera, tous les cinq centimètres, quatre cent cinq petits sacs de prière dans lesquels il a placé du tabac. À chaque changement de direction, les sacs prennent la couleur des fanions correspondants. Pour chacun, il place symboliquement une intention par un noeud magique. Autour de ce premier cercle, Georges en forme un second avec du tabac. Ces deux cercles sacrés constituent sa protection et la limite de sa maison. Il ne peut en sortir et personne ne peut y entrer. D'ailleurs, qui peut venir ?

Le reste de la journée, Georges passe de la position allongée sur son matelas à la position assise, à l'intérieur de la tente, portes ouvertes. Ponctuellement, il se lève, fait quelques traversées en suivant la corde précautionneusement. Il regarde le sens de sa présence au milieu de cette forêt énergétique. Il se souvient de son expédition en Himalaya et de la retraite chez les loups près de la baie James : ces moments solitaires et extrêmes sur le chemin de soi.

Georges ressent, dans cette quête de vision préparatoire à la Danse du Soleil, un enjeu de nature différente. Il sait qu'il vient de s'engager dans un cycle de plusieurs années. La Danse du Soleil est un des rituels sacrés les plus importants pour les Amérindiens, une danse sacrificielle pour célébrer la femme. Elle se déroule durant quatre jours et quatre nuits, dans les quatre directions, quatre années consécutives. Dans ce rituel ancestral, le danseur souffre et participe à la douleur des femmes au moment où les broches pénètrent sa chair. La souffrance induite par la blessure amène à s'arrêter et à faire place à ce qui, jusqu'ici, est caché à la conscience. Elle est une offrande au renouvellement de toute nouvelle forme de vie et à ce qui nous dépasse.

Georges sait qu'il n'est qu'au début de la démarche et se souvient de l'enseignement reçu d'Anaïs lors de leur dernière rencontre :

Un diamant dans ton cœur scintille au fond de tes yeux :
son éclat ne peut être terni,
parce que les larmes qui viennent de ton cœur,
nettoient la gangue,
qui l'a protégé des regards avides et de ton ignorance.

Chaque larme porte l'éclat du diamant, elle est la signature
d'une vraie richesse : celle qui vient de l'intérieur.
Laisse ton cœur pleurer jusqu'à plus soif
pour enfin sentir la soif de l'âme.
Elle est noble, scintillante,
sous l'armure du chevalier ou du samouraï.

Elle est noble lorsque l'armure tombe
et se lève le danseur du soleil,

poitrine nue, offerte à la brûlure
ou à la caresse de l'esprit du vent :
se révèle alors le secret ancien d'un sacrifice,
son ampleur libère l'esprit de sa prison de chair.

Comme un aigle, il s'approche du soleil éternel
et reconnaît sa nature de lumière.

Terrassé face à la beauté,
dans sa danse, il arrache sa poitrine,
et se libère de la souffrance aussi,
dans un geste d'amour, offerte à ses frères.

Dans son envol, il embrasse le ciel et la terre,
uni à l'esprit, libre de toutes attaches.
Le rêve bascule dans la réalité.

Georges est maintenant au cœur de son territoire. Au deuxième jour de solitude, il se sent bien dans son ascèse. Il ne ressent ni la soif ni la faim, malgré les huttes de sudation précédent le départ en forêt. Il est de plus en plus méditatif et contemplatif. Assis sur un tronc, il observe l'arbre en face de lui et incruste son regard dans les nervures de l'écorce. Il porte ensuite son attention sur les branches, la forme des feuilles, puis scrute dans le ciel les couronnes majestueuses. Il a accroché à différents arbres des plumes, des colliers de célébration. Il les observe flotter au vent. Il aime cette légèreté d'être. Le ciel est couvert, il est difficile de deviner le moment de la journée. Georges se souvient s'être éveillé avec le lever du jour, la luminosité lui semble tirer à sa fin. Il s'allonge sur son sac de couchage et regarde le plafond de sa tente. Le ciel est orange.

Georges commence à sentir pourquoi il est ici. Rien à faire, personne à rencontrer, personne avec qui échanger, personne à écouter, personne à regarder : juste être présent à soi. Les pensées émergent et passent naturellement. Le nettoyage qui a permis d'arriver dans ce lieu a été conséquent. Il sent qu'une page se tourne. Il sait que la piste des Sioux est venue à lui, mais il sait aussi qu'Anaïs lui a mis le pied à l'étrier depuis son retour de sa quête des loups, parfois en le bousculant au passage.

Juste avant l'arrivée de la nuit, il entend des bruits près de son camp. Son ouïe devenue plus fine, plus subtile, il décèle des crissements de pas. Joe approche de son camp discrètement et silencieusement. Il fait le tour des cercles dans le sens des aiguilles d'une montre et observe le montage symbolique. Il se présente, toujours en silence, à la porte de la maison naturelle de Georges. Il le congratule pour le respect et la qualité de son installation, lui sert une larme de thé et s'assure de son bon état. Georges, sans parler, lui fait un signe pour confirmer que tout va bien. Avant de partir, Joe lui fait remarquer que trois plumes accrochées à la limite du cercle flottent à l'extérieur de son territoire. Georges, surpris par le propos, essaie de comprendre. Joe lui indique que demain, il aura à sortir de son cercle par la porte symbolique. Il devra aller chercher les plumes par l'extérieur en déposant du tabac pour chaque plume récupérée. Les plumes laissées en dehors du cercle sont des membres de la famille oubliés à leur sort.

– Médite là-dessus avant de les récupérer, ajoute-t-il.

Après avoir fumé le calumet avec Joe et salué son départ, Georges fait le tour de son cercle et regarde le sens de ces paroles. Qui est hors de la maison ? Il s'endort très rapidement.

Au milieu de la nuit, le vent se lève et il entend les grands arbres siffler. Il a l'impression de se trouver au bord de la mer, tant le souffle est puissant. Le vent lui parle. Pourquoi le vent cette nuit après le passage de Joe ? Qui est hors du cercle ? La question revient. Il se lève, saisit sa lampe frontale et, de manière rituelle, franchit la porte symbolisée par deux nattes de foin d'odeur. Il va rechercher les trois plumes, une à la fois, en respectant le sens du cercle. Pour chacune, il dépose le tabac en gratitude et demande pardon. Au bout de ses trois rotations, et du dernier retour au centre du cercle, il saisit son tambour et frappe au rythme du battement de son cœur. Il revient sous la tente et reprend son sommeil où il l'a laissé. Ses yeux se ferment sur le calme qui l'habite, le cœur bercé par le vent.

Le troisième jour débute. Georges ne ressent toujours aucune sensation de faim et de soif. Le soleil se montre de temps à autre en matinée, ce qui lui permet d'avoir un repère du temps plus précis que la veille. L'après-midi, le ciel est de nouveau couvert, la suite de la journée lui paraît interminable. L'alternance de la position allongée et assise a raison de ses muscles. Il commence à sentir des douleurs au bas du dos et surtout aux fessiers.

Georges regarde l'hêtre sur lequel il a fixé le fanion bleu ciel. Sa force, sa beauté et sa sagesse l'invitent à l'humilité. Il se dirige vers lui et s'appuie sur le tronc. Il le remercie de lui montrer la direction. Il dépose un peu de tabac au pied pour le remercier de son accueil. Georges colle son ventre sur l'écorce argentée et regarde vers la cime. La vision émerge : ouvrir un nouveau chemin, galvaniser les cœurs, mobiliser l'énergie dans le bon sens et sortir des mots vides de sens. Georges est disponible pour faire tourner la roue du changement des valeurs. Il sait qu'il a à offrir ses mains, ses gestes, sa parole à plus grand. Il a à s'offrir ! Le souffle de l'esprit va le conduire. Le souffle dans le vent du changement, le souffle du vent présent dans les arbres la nuit précédente. Il quitte l'arbre, s'assied à son pied et se souvient que la vie est une grâce accordée et non un dû. L'humilité de le reconnaître le met en résonance pour sentir et recevoir l'inspiration.

Attentif et d'une extrême sensibilité à son environnement proche, Georges entend les animaux bouger. La nature a changé autour de lui. Il ne la regarde plus de la même manière. Il ne voit plus les mêmes choses et ne sent plus les mêmes odeurs. Il fait le tour de son cercle plusieurs fois et découvre de nouveaux aspects de son territoire. Il sent que la vie suit son cours, tout naturellement, à travers lui et qu'il n'a aucune maîtrise sur son déroulement.

Il s'assied à nouveau sur une branche de bois. Il se sent appelé pour accompagner l'homme dans son besoin d'initiation à la vraie nature du masculin, faite de force et de sensibilité. La société a rangé dans des cases confortables ce qu'elle nomme masculinité et qui n'en est pas. L'homme a besoin de retrouver la fierté de sa nature sauvage et la liberté de ses érections portées par l'élan de vie. L'homme en présence de l'homme peut nourrir le masculin et le féminin. Il en a besoin pour guérir et se dégager de sa blessure originelle. Il a à redevenir maître de lui pour se donner naissance avant de pouvoir rencontrer enfin la femme et l'homme dans l'intimité. Il a à retrouver le chemin de la liberté qui le ramène à l'intérieur, en paix avec l'énergie solaire du père, sortir une fois pour toutes de l'aveuglement pour retrouver enfin sa légèreté.

La fin de la journée, sans repère du temps, semble longue. Le vide s'installe, les pensées sont de moins en moins fréquentes et disparaissent totalement. Son regard plonge en face de lui, à la limite de son territoire, en direction d'un tronc avec une excroissance à sa base. Georges voit dans cette forme particulière le sexe d'une femme : un sexe ouvert pour ouvrir la voie, ouvert pour laisser passer la vie, ouvert sur le vide et sur l'infini. Il se retrouve face à une femme impénétrable. Elle est impénétrable car personne ne peut pénétrer le vide. Cela demande juste de disparaître. Le sexe de Georges se dresse vers la cime des arbres. Il s'approche, abandonne son pantalon et frotte son pénis sur l'écorce humide et mousseuse de l'arbre. Il place un doigt au niveau du sacrum, stimule son chakra et pousse des cris de jouissance. Il offre son sperme laiteux à la Terre Mère pour célébrer sa nature sauvage.

Le soleil se lève sur le quatrième jour, Georges sent qu'il arrive au terme de son aventure en forêt. Il se réveille doucement. La soif et la faim ne le préoccupent toujours pas. Il va démonter son camp et regagner le bas de la montagne lorsque Joe donnera le signal avec son sifflet d'aigle. Il décide de profiter de la matinée pour prolonger sa méditation et célébrer la fin de son séjour. Cette expérience révèle sa vraie nature. Il mesure comment Anaïs, tout au long du chemin, a pointé la direction. Il avait à faire la route. Georges sent l'homme qu'il est et celui qui grandit dans la vision. Il se prépare à recevoir la force fulgurante pour ancrer dans la matière la vraie nature du rêve par des actions concrètes. Inspirées par l'esprit, elles seront portées par l'existence au son des tambours du cœur. Georges entre en résonance avec la magie du créateur. Il entre dans l'ère d'abondance, celle qui s'appuie sur la gentillesse et la magie bénéfique où ce cœur s'exprime sans calculer.

Il entend le sifflet d'aigle retentir, le signal qui autorise à lever le camp. Il replie le matériel emporté, défait les cercles, récupère les objets symboliques et les sacs de prière. Ne rien laisser sur son passage. Le retour vers le lieu de rassemblement se déroule en silence. Georges retrouve les membres du groupe éparpillés çà et là dans le bois. Lors de l'arrivée au campement, chacun est attendu dans la hutte de sudation. La porte fermée, Joe lance rapidement l'eau sur les pierres chaudes. Georges ressent un coup de fouet intense, suivi d'autres tant les pores de sa peau éclatent à la vapeur. Il ne sait quelle eau peut encore sortir de son corps après les deux premières huttes de sudation, suivies des quatre jours sans hydratation. Il découvre l'extrême résistance de son corps. Il prend son Waluta qu'il a suspendu au-dessus de lui. Il le serre dans sa main droite. Quelques larmes roulent sur ses joues. Il est content d'être revenu de son séjour solitaire. Il n'avait rien à prouver, aucune performance à accomplir. Il est simplement heureux d'avoir été totalement présent à lui et disponible à l'expérience. La porte s'ouvre, Georges et ses compagnons d'aventure reçoivent un bouilli de bison comme première nourriture. Le cœur de bison ne lui a jamais semblé aussi tendre.

De retour sur son lac, il retrouve un espace qu'il aime. Amaigri, il a perdu cinq kilos durant ce séjour, il n'a pas faim. L'estomac va se remettre en route petit à petit. L'eau pure de la montagne est différente. Il redécouvre son goût cristallin. Durant toute la fin de l'été, Georges s'arrête. Il prend le temps de méditer sur ses dernières aventures. Il laisse la place à la non-action pour mieux sentir où mettre les pieds pour la suite de son chemin.

Chapitre 9

Avec l'âge se déchire le voile de l'illusion et vient l'acceptation de vivre dans la réalité : face à la mort s'éveille la jouissance de vivre pleinement. Une boucle de cinq années se termine pour Georges. Il ne peut s'empêcher de rattacher le dernier chiffre de cette année 2009 à celui de son chemin de vie. Le neuf symbolise les voyages du corps, de l'âme, de l'amour, de la connaissance et de la voie. Le neuf se retrouve dans les neuf premiers Chevaliers du Temple qui ont passé neuf ans sur le site du Temple de Salomon, dans les neuf nuits d'amour durant lesquelles ont été conçues les neuf muses par Zeus, dans les neuf chakras, dans les neuf marches à descendre pour dompter les neuf sens en ésotérisme islamique. Il pense aux cent huit billes du mala, cet objet rituel bouddhique offert par son ami Lama Rinpoché. Il se souvient aussi des neuf bassins d'eau qu'il descendit symboliquement en Arizona avec Anaïs. Dernier nombre de la série des chiffres, le neuf exprime la fin d'un cycle, l'achèvement d'une course !

Ce matin de décembre, en prenant le café avec Anaïs, Georges, silencieux, prend conscience de la fermeture de la boucle. Il est rempli de gratitude pour le chemin parcouru ensemble. Tout un périple, une plongée dans le temps et un nettoyage extrême, se dit-il. Il devient de plus en plus femme dans sa force sauvage. Anaïs sent également que la fin d'un cycle est entamée. Le moment est venu pour Georges de partir, il ressent le besoin de distance.

Georges rejoint le nord des Laurentides pour la journée. Il aime cette destination de Mont-Tremblant, nom d'origine amérindienne. Des grondements sortis de *la montagne du Diable ou des esprits* faisaient osciller les pieds de ceux qui la gravissaient. En route, il s'arrête au magasin de son ami artisan d'art autochtone. Profitant de son passage dans la région, Mahigan, signifiant loup en langage algonquin, lui offre un cadeau préparé de longue date. Il lui tend un petit sac brun en peau de chevreuil fermé à son extrémité. Georges est ému et prend le temps de l'ouvrir. Il sort avec respect et précaution l'objet. Il découvre un collier de neuf griffes d'ours montées sur une cordelette en cuir : huit sont incrustées dans de l'os de chevreuil, la neuvième, placée au centre, dans de l'os d'orignal. De petites billes d'os de bison et de turquoise assurent la liaison entre chacune des griffes. Impressionné par la beauté et la force symbolique de ce cadeau, Georges le met autour de son cou. Il ressent à son contact la force de l'ours nourrir son cœur. Ému, il se rapproche de Mahigan et, la larme à l'œil, se laisse aller dans les bras accueillants de cet homme de plus d'un mètre quatre-vingt. Georges retire le collier et demande à Mahigan de le conserver encore quelque temps, le moment de le porter n'est pas encore venu. La célébration de son anniversaire, un mois plus tard, serait sans doute le moment opportun, lui dit-il. Après avoir salué et remercié son ami, il repart avec un assemblage de plumes de faisan, signe d'abondance, destiné à tenir les cheveux en tresse.

En s'asseyant à bord de son véhicule, Georges accroche le chapelet de plumes à son rétroviseur afin de le préserver et le retrouver aisément. Il est encore dans la résonance de cet échange silencieux du matin avec Anaïs. Ce collier en griffes d'ours laissé chez son ami amérindien ne peut mieux symboliser cette fin de boucle. Il roule en direction de la station située à l'entrée du parc où il passe une partie de la journée sur les pentes de ski. Les brumes du matin se dissipent encore et donnent à cette aventure solitaire une sensation de liberté. Georges surfe sur un tapis volant de glace tant la piste est givrée. Il descend la montagne une dizaine de fois totalement réjoui, heureux de sentir son corps se mouvoir dans l'espace.

Vers quatorze heures, Georges arrête de skier. Il se dirige vers le centre du village afin de s'y restaurer avant de reprendre la route. Il aime s'arrêter à *La Diable*, microbrasserie réputée au nom enchanteur. Connu de l'établissement, le serveur le salue et lui apporte directement une *Extrême-Onction*, boisson des dieux à donner le frisson dans le dos, oh combien désaltérante ! Après la dégustation et ce moment de récupération, Georges sent le moment de retrouver le lac. Tham, son fidèle et attentif doberman, l'attend dans la voiture.

Seize heures, la fluidité du trafic et les bonnes conditions de route, malgré le temps froid, favorisent un retour aisé. Georges enchaîne plusieurs virages en écoutant une musique soufie. Quelques centaines de mètres à la sortie du dernier virage, au début de la ligne droite, son véhicule fait soudainement un tête-à-queue. Un léger coup de volant vers la droite permet un redressement, mais cela ne suffit pas. La voiture repart en sens inverse, comme une toupie. Georges se souvient d'avoir ôté sa ceinture de sécurité, quelques instants avant l'accident, pour retirer sa veste en duvet. Ses derniers mots sont « Je n'ai pas ma ceinture, je n'ai pas ma ceinture », ensuite il s'envole ! Le véhicule termine sa course par un triple tonneau sur le côté droit de la route. Des sapins se couchent sur son passage pour amortir l'atterrissage de la voiture noire et se redressent ensuite, comme pour masquer son intrusion. Georges est resté assis sur son siège, les bras légèrement fléchis. Il pense assister, en témoin, au dernier moment de sa vie.

La voiture s'immobilise sur le flanc gauche, les coussins gonflables explosés sur les deux côtés ont amorti sa chute. Georges se regarde, se touche, il ne sent qu'une légère douleur à droite de la colonne vertébrale, à hauteur des omoplates. Les plumes de chevreuil lui chatouillent le nez. Il est vivant ! Il regarde derrière lui et découvre Tham, debout sur ses quatre pattes, étalé sur le sac à skis, les oreilles basses. Malgré le choc intense, Tham semble être aussi en bon état. Georges lui parle, le rassure et l'invite à le rejoindre, mais Tham, hébété, reste immobile. Georges déclenche les feux d'urgence, ils semblent fonctionner. La fenêtre du côté passager a éclaté sous l'impact. Il se fraie un passage sous le coussin gonflable déployé. Il passe la tête et le haut du tronc à travers l'espace libre comme s'il sortait de la tourelle d'un char d'assaut. Georges découvre que le véhicule a atterri sur un lit de sapins instable, exigeant prudence dans les mouvements. Il est à une cinquantaine de mètres du bord de la route, les phares et feux de signalisation allumés. Avec le véhicule orienté en sens inverse du trafic, quelqu'un va nous remarquer rapidement, se dit-il. Ce n'est pas tous les jours qu'une voiture est accrochée comme une boule de Noël !

Georges se rend compte que, malgré le trafic, personne ne le voit. Cette pensée le ramène à la date du jour, le 21 décembre, jour du solstice d'hiver. Le jour où les portes du ciel s'ouvrent énergétiquement, le jour du passage des ténèbres au retour de la lumière. Il aperçoit un homme traverser le champ de neige, après avoir immobilisé son véhicule sur le bas-côté. Les premiers mots de cet homme, patrouilleur sur les pistes de ski dans un domaine voisin, sont réconfortants. Georges se trouve une fois de plus chanceux : la bonne personne se dirige vers lui au bon moment afin de lui venir en aide. Martin, l'homme providentiel, debout sur la portière renversée, accueille Tham que Georges vient de hisser à bout de bras. Tham, suspendu dans les airs, observe la scène sans trop comprendre ce qui lui arrive. La compagne de Martin récupère Tham et le ramène au bord de la route, pas trop rassurée d'avoir à composer avec un doberman qu'elle ne connaît pas. Deux policiers de la Sûreté du Québec, arrivés rapidement sur les lieux, placent le chien en sécurité à l'intérieur de leur voiture. Deux longues files de voitures, se déplaçant à faible vitesse, découvrent ce sapin décoré accidentellement, tandis que deux ambulances s'immobilisent à leur tour. Soudain, une impression surréaliste envahit Georges. Autant de moyens déployés si rapidement, il ne sait quel tambour a résonné aussi fort pour faire un tel écho et déplacer autant de monde en aussi peu de temps. Il y a un tel contraste entre le moment où personne ne le voyait et cet instant de grand déploiement. Les ambulanciers s'approchent de lui avec prudence et difficulté. Il les rassure en faisant appel à ses compétences d'ancien patrouilleur de ski.

— Je suis orienté et totalement conscient, leur dit-il. Nous sommes le 21 décembre 2009, je m'appelle Georges et je viens de Mont-Tremblant ! Je peux descendre seul pour vous rejoindre si vous le souhaitez.

— Si vous avez été dans la patrouille de ski, alors vous savez
que vous ne devez pas bouger et juste attendre que nous
vous descendions de manière sécuritaire, lui répond un
ambulancier vif, raisonné et plein d'humour.

Il n'y a rien à faire. Lâcher-prise une nouvelle fois et faire confiance.

Au terme de plusieurs difficultés résolues par les sauveteurs, la
planche de bois équipée du matelas de sécurité atteint le sommet de la
voiture. Georges y est hissé et les secouristes l'installe confortablement.
La coquille gonflée en quelques minutes, Georges est totalement
immobilisé, la tête orientée vers le ciel. Il découvre la cime des sapins.
Des larmes coulent sur ses joues. Les reflets multicolores des gyrophares
des voitures d'urgence renforcent son impression de passer dans une
autre dimension. Il souffle, une fois, deux fois, les larmes s'intensifient.
Il dit plusieurs fois à voix basse : « C'est fini. » Les ambulanciers
prennent son pouls et sa fréquence cardiaque sans trop le dévêtir, le
thermomètre avoisine les moins 20 degrés. Georges est présent et
absent en même temps. Il répond aux questions, mais ne s'entend pas.
La petite voix intérieure lui répète une nouvelle fois : « C'est fini. »

Georges sent quelque chose lâcher dans son corps. Une sensation
bienfaisante, une légèreté s'installent. Il est vivant et, en même
temps, n'est plus présent ! Il entre en méditation et retrouve ces
espaces d'exploration connus en altération de conscience. Guidé
par la mémoire cellulaire, il connaît le chemin. Quinze personnes
le transportent sur un plateau, dans un épais banc de neige où elles
s'enfoncent périodiquement, pour l'amener à la porte de l'ambulance.
Georges a perdu un gant et sa main commence à geler. Un ambulancier,
attentif, lui offre sa mitaine pour remédier à la situation. Il le remercie
les yeux embués par les larmes. Au moment où la grande porte de

l'ambulance se referme, les plafonniers au néon maussade se mettent à clignoter étrangement. Un effet stroboscopique plonge l'ambulance alternativement dans le noir et dans la lumière. Les ambulanciers éprouvent certaines difficultés à assumer leur mission dans de telles conditions et ne comprennent pas les raisons de cet éclairage intermittent. Georges ne peut s'empêcher de relever tous les signes : *la montagne des esprits*, l'*Extrême-Onction*, la sortie de route, le lit de sapins, le solstice d'hiver, le collier aux neuf griffes d'ours, les plumes de faisan protectrices, l'éclairage de l'ambulance.

Durant le trajet en direction de l'hôpital, Georges se souvient de la dernière rencontre, l'été dernier, avec son ami Lama Rinpoché et la question qu'il lui posa :

– Georges, désires-tu devenir moine ?

L'interpellation avait été cinglante, simple et directe. Pourquoi s'en rappelle-t-il dans l'ambulance ? Il était resté un long moment dans le regard du Lama Rinpoché et sa réponse avait été aussi directe et simple :

– Puis-je te répondre lundi matin ?

Le Lama Rinpoché sourit et acquiesça à sa demande. Georges passa la fin de semaine à réfléchir et à sentir. Après toutes ces années de cheminement, il ne s'étonna pas de la question du Lama Rinpoché. Elle lui semblait tomber juste à propos. La réponse émergerait bien au bon moment, s'était-il dit. Il savait aussi que la question était plus importante que la réponse.

Il se promena longuement au bord du lac, regarda et sentit l'espace où il habitait. Il pensa au monastère abandonné de Phu à la frontière tibétaine où il resta plusieurs jours lors de son expédition en Himalaya.

Il se souvint de toutes les morts par lesquelles il était passé au cours de ces dernières années et des détachements successifs.

Le lundi matin, il retrouva le Lama Rinpoché et fut accueilli par un grand sourire. À peine le bonjour prononcé, il lui demanda sa réponse. Georges sourit à son tour et lui annonça qu'il acceptait de devenir moine. Un silence s'était installé entre eux, les yeux du Lama Rinpoché pétillants annonçaient la réplique :

– Georges, tu n'as pas à devenir moine pour devenir qui tu es !

La force de cette réponse résonne encore dans sa tête. Elle prend plus de force après ce triple tonneau, le jour du solstice d'hiver, alors qu'il est allongé à l'intérieur de cette ambulance à éclairage hallucinant.

Georges entre aux urgences en position horizontale et en ressort deux heures plus tard en marchant sur ses deux pieds ! De retour chez lui, il accueille Tham de retour de la Sûreté du Québec. Ils viennent de partager ensemble un événement extraordinaire. Georges sent qu'un morceau de chemin a été accompli et que la fin de quelque chose annonce le début d'autre chose.

Le lendemain matin, après une bonne nuit de sommeil réparatrice, Georges rend visite à Anaïs. Elle sent tout de suite qu'il vient de vivre un événement important. Il est différent, il ressemble à cette personne qui rentre de voyage, qui bascule énergétiquement. Elle le reconnaît et, en même temps, il n'est plus tout à fait le même. Ils se saluent dans ce rituel corps-à-corps, cœur-à-cœur propre à tous les chercheurs spirituels. Une fois assis, Georges lui raconte ce qui vient de se passer, d'où il revient. Le regard d'Anaïs change, il la sent vaciller, ses yeux prennent une teinte gris délavé. Elle se relève et s'approche de lui. Elle l'invite à la rejoindre et prend son visage à hauteur de ses tempes.

— Ce que tu viens de vivre est une mort chamanique, lui commente-t-elle. Je t'ai choisi pour prendre la suite, mais jamais je n'ai imaginé que tu pouvais mourir avant moi. J'en prends conscience avec une telle émotion. La vie est fragile !

Les larmes coulent sur ses joues. Si entendre qu'elle l'avait choisi avait tout son sens au début du chemin, Georges lui fait remarquer qu'elle n'a plus besoin de le répéter. À ce moment, les yeux d'Anaïs le fustigent. De la tristesse, elle passe à la colère en moins de temps qu'il ne faut pour le dire.

— Je t'ai choisi, répète-t-elle à deux reprises, avec insistance et fermeté.

Georges la regarde, encaisse l'onde de choc et comprend avec émotion la force du choix. Elle l'aime et elle l'a choisi. Un frisson parcourt son dos, de la région lombaire jusqu'au creux de la nuque. Une nouvelle vie commence pour lui. Il ne sait pas la forme que cela prendra, il n'a qu'à se laisser glisser. Il connaît le chemin des bassins d'eau. Shiva a mille huit noms différents et de nombreux visages. Il est un homme riche, il a en lui toutes ces facettes.

Durant les jours qui suivent, Georges porte un regard sur ce que lui enseigne cette mort chamanique. Il a à se reconnecter avec les racines de la terre et remercier du cadeau d'être en vie. Il chausse ses raquettes et emmène Tham en promenade dans la forêt, dans ses lieux reculés et magiques. Pendant la course alerte de son chien à l'affût des animaux, il observe les sculptures des arbres et les touche avec délicatesse. Il a besoin de cette relation à la matière. Il sent le vent lui caresser le visage. Assis sur un tronc d'arbre, il regarde Tham avec une attention différente.

Le chien, rescapé tout comme lui, goûte à une nouvelle étape de vie. Cet accident les rapproche fortement et leur complicité décuple. Il a ce mélange particulier de force sauvage et de sensibilité extrême. Lorsque Georges l'a recueilli, à l'âge de six mois, Tham passait de maison en maison. La personne qui l'adoptait changeait d'avis à peine son arrivée célébrée. Les premiers temps de vie de Tham au lac furent particuliers. À chaque déplacement avec son maître, il lui semblait qu'il ne reviendrait plus. Cela prit du temps pour qu'il cesse d'avoir peur de l'abandon. Tham est arrivé. Il est chez lui.

Georges sent une tristesse l'envahir à cette pensée. Lui aussi a fait un long voyage pour arriver chez lui. Depuis la rencontre avec son ancien patron et la scène de l'urinoir où il décida de prendre de la distance avec le monde des affaires, des années se sont écoulées. Il n'a pas vu le temps passer. Il lui semble avoir vécu un grand rituel de cinq ans entre le ciel et la terre avec des plongeons à répétition. Georges sourit et observe finalement que cela ressemble à un grand saut, unique, sans retour en arrière. Il n'est plus le même. Il est devenu lui. Il sait que le chemin ne fait que commencer, autrement. D'homme-loup, il devient homme-aigle. Plus il se rapproche de la maîtrise, moins cela y ressemble !

Georges a dit au revoir à Anaïs. Le moment de la séparation est arrivé. Lorsqu'il la regarde, il est ému de voir aussi sa transformation. Elle n'est plus la même. Tout au long du voyage, elle est devenue femme. Aujourd'hui, il ne reste que deux personnes fragiles et vulnérables qui sont allées au bout de ce qu'elles sont. Il accepta d'être dérangé et d'avoir en face de lui un miroir à la hauteur pour refléter l'ombre. La force de la rencontre a été cette transformation accélérée pour eux deux, une transformation qui peut rejaillir sur les autres, une synergie de guérison.

Avec le recul, Georges sait maintenant que la femme a la clef à l'intérieur d'elle. Peu de femmes le savent parce qu'elles n'ont pas été initiées. La force féminine trouve sa source dans le chaos. Par nature, la femme est une passeuse. Elle donne naissance dans les deux dimensions : elle accompagne la vie et la mort. La femme a à se réconcilier avec le féminin pour retrouver son rôle d'initiatrice. Elle pourra alors s'épanouir dans la dimension psychique de son être, libre de la peur pour s'être dévoilée dans son essence. Elle sera en contact avec cette puissance guérissante qui permet à son cœur de rayonner. À ce moment, elle aidera l'homme à s'abandonner dans l'ivresse du féminin. En faisant la paix avec ce féminin, l'homme, quant à lui, pourra désormais s'ouvrir à son instinct. La femme doit aussi rencontrer sa dimension sauvage et découvrir la puissance de sa nature instinctive pour guérir en reprenant contact avec la Terre Mère. C'est dans cette puissance sauvage que la femme rencontre l'homme sauvage et arrête d'en avoir peur. La femme entraîne l'homme dans l'ascension en s'abandonnant au feu. Finalement, l'un et l'autre retrouvent l'équilibre entre le masculin et le féminin, à tour de rôle initiateurs, pour gagner en altitude.

Georges retourne chez Mahigan à *la montagne aux esprits*. Il souhaite récupérer le collier aux neuf griffes d'ours. Il sait que c'est le moment. Le loup va ancrer la force d'âme de l'ours pour accomplir la suite du voyage.

Georges prend l'ascenseur de la Place Ville-Marie, lieu central du quartier des affaires de Montréal, pour rejoindre le 99e étage de la tour. La vue aérienne sur le parc du Mont-Royal impressionne. Il se déplace de fenêtre en fenêtre pour découvrir l'ensemble de la ville. Tel un faucon, son regard perçant est attentif à tous les mouvements perceptibles au niveau du sol. Il se sent chez lui, il a connu ces espaces au sommet des tours. En même temps, quelque chose en lui est différent. Il est dans la sensation et ne peut encore mettre de mots. Est-ce bien important de le nommer ? se demande-t-il.

Georges a rendez-vous avec la responsable de la communication d'un groupe bancaire important. Il patiente, assis dans un large fauteuil vieux-rose de style empire. Il savoure l'existence en dégustant un thé blanc offert par l'hôtesse d'accueil et célèbre cet instant de calme. Quelques instants plus tard, une voix féminine, derrière lui, interrompt sa méditation. Un frisson lui traverse le dos de bas en haut. Il connaît cette voix sans pouvoir y associer un nom. Georges se lève, se retourne et découvre son interlocutrice. Son cœur bat, l'émotion est vibrante. Il plonge dans le regard de cette femme avec laquelle il a pris rendez-vous. Pourquoi elle ? Pourquoi ici ? Pourquoi maintenant ?

Georges et Julie se font face. Ils se retrouvent pour la première fois depuis la mort de Sarah. Ils se rapprochent, l'énergie dégagée les transporte. Les larmes coulent sur leurs joues. Georges se souvient de son corps, de sa sensualité, de la couleur de sa peau. Il ressent encore la douceur de son sexe déposé sur sa cuisse. Ils restent tous deux emprunts de cette nuit d'amour partagée. Cet espace hors cadre les avait rapprochés dans un amour détaché de toutes attentes.

Georges et Julie transforment ce rendez-vous d'affaires en une célébration de leurs retrouvailles. Ils quittent la tour magique. Julie l'invite à manger chez elle. Il accepte à la condition de préparer le repas ensemble.

Julie est une jeune femme douce et sensible. Elle trouve difficilement les mots lorsqu'elle doit parler d'elle. Prendre sa place, être reconnue pour ce qu'elle est, exister et ne pas déranger sont ses thèmes de cheminement. Dans la rencontre avec Georges, elle sent son accueil, sa tendresse et son aisance à l'accepter telle qu'elle est. Son regard, ses questions, ses respirations raisonnantes l'amènent à oser, tout simplement, être une femme. Georges lui partage son voyage des cinq dernières années qui l'a amené à un tel détachement. Son récit le plonge dans l'émotion. Julie lui prend la main et l'emmène vers le salon où ils se s'assoient sur le canapé. Ils restent tous deux en silence. Georges caresse les cheveux de Julie. Elle pose à son tour sa main sur son torse.

— Imagines-tu la force de ton témoignage pour nourrir les hommes et les femmes ? interjette-t-elle. En t'observant tout à l'heure, j'ai vu ton aisance à être dans l'instant présent. J'ai senti le chemin intense parcouru. Tu es un habitant de la planète ! Je suis certaine que mon patron serait heureux de te rencontrer. Il est à la recherche d'idées novatrices permettant de changer nos environnements de travail et de vie, mais surtout de personnes pouvant incarner le message et accompagner sur le terrain le changement autrement.

Georges l'écoute avec attention et se laisse bercer par ses propos. Il ne sait pas, il ne sait plus. Il sent que c'est parce qu'il ne sait plus, qu'il a peut-être quelque chose à partager. Il se retourne vers elle et marque son accord pour qu'elle organise la rencontre.

– Une fois en face de lui, je sentirai, ajoute-t-il.

Julie sourit, accueille Georges et dépose ses lèvres sur les siennes. Ils resteront ensemble toute la nuit, dans un espace de douceur, l'un contre l'autre, respectueux de cet espace sacré retrouvé.

La semaine suivante, Georges est de retour au sommet de la tour Place Ville-Marie pour rencontrer Robert, vice-président du groupe où travaille Julie. Organiser ce rendez-vous a été facile. Elle a senti que la connexion était évidente entre les deux hommes. Il a suffi de faire exister le moment et la vie a supporté la suite de l'histoire.

Robert tombe sous le charme du personnage. Il sent son approche novatrice du monde des affaires. Il observe son détachement, un ton et un souffle nouveaux. Son expérience et son aisance naturelle pour inventer demain l'intéressent.

> – Robert, nous avons à inventer une nouvelle manière de travailler et à faciliter l'émergence de nouvelles relations hommes-femmes au travail. Nous avons à réapprendre à faire partie du même cercle. Trop de personnes ne savent plus où aller et pourquoi ! Beaucoup sont fatiguées et en perte de motivation. La maladie, le burn-out, la dépression ou la perte de repères sont des occasions extraordinaires de passage et non des moments d'exclusion, comme nous l'observons trop souvent. Apprendre à accepter qu'il y a des combats qu'il vaut mieux ne pas ou ne plus livrer, voire qu'il vaut mieux perdre.

Robert est rempli de gratitude pour l'intuition de Julie. Il sourit, le cœur ouvert, et sent l'affinité avec Georges. Il a envie de plonger dans l'inconnu et lui demande comment faire.

– Cela demande du courage pour réapprendre à vivre
pleinement avant de mourir, pour décider de vivre en
travaillant et non travailler pour vivre, répond Georges.
Cela nécessite surtout de s'éloigner des recettes magiques,
des pratiques managériales sulfureuses et des baumes faciles.

Riche de son expérience de plusieurs années, Robert est sensible aux
propos de Georges. Il lui partage avoir côtoyé de nombreux professionnels
de diverses compétences pour répondre à ses problématiques humaines.
Au fil des années, il a observé la prolifération de méthodes de tous types.
Ressassées, elles perdent leurs sens. Utilisées souvent à tort pour séduire,
elles trompent en faisant croire que tout est facile.

– Loin de là, la réalité est tout autre, ajoute Georges. Il s'agit
d'une pression à la conformité pour remplir le vide de chacun.
Il convient de regarder avec humilité les illusions entretenues
pour s'en détacher et être au vrai rendez-vous.

Robert confie à Georges qu'il a un projet important de réorganisation
auquel il aimerait l'associer. Il lui demande s'il a envie de partager
l'aventure. Georges sourit, mais ne répond pas. Il ne sait pas ! Il a
appris à lâcher prise totalement, pour vivre dans le présent et renaître
à chaque instant. Il préfère sentir si cela a un sens. Il se dit que ce jour
est le premier jour de sa vie. À partir de ce moment, il accepte que ce
n'est plus lui qui décide où la vie l'emmène. Il ne fait que passer. Il
décide d'être initié une nouvelle fois au mystère de la vie. Pour cela,
il a la clef en lui. C'est dans le brouillard et le silence que la réponse
émerge !

Ateliers-Rituels de Doha Khan

www.samasati.ca

Cet ouvrage, composé en Gotham
et Garamond Premier Pro,
a été achevé d'imprimer sur les presses
de l'imprimerie Transcontinental Gagné,
Louiseville, Canada
en mars deux mille onze
pour le compte
de Marcel Broquet Éditeur